D1587666

DRESSLER

Pünktchen und Anton

Ein Roman für Kinder
von
ERICH KÄSTNER

Illustrationen von Walter Trier

Dressler Verlag · Hamburg
Atrium Verlag · Zürich

130. Auflage 2012
Dressler Verlag GmbH, Hamburg
Atrium Verlag AG, Zürich
Alle Rechte vorbehalten
© Atrium Verlag AG, Zürich 1935
Erstmals erschienen 1931 im Williams & Co. Verlag, Berlin
Titelbild und Illustrationen von Walter Trier
Einbandgestaltung: Buchholz / Hinsch / Hensinger
Satz: Das Herstellungsbüro, Hamburg
Druck und Bindung: GGP Media GmbH, Pößneck
Printed in Germany 2012
ISBN 978-3-7915-3014-7

www.dresslerverlag.de

Inhaltsverzeichnis

Die Einleitung ist möglichst kurz

Was wollte ich gleich sagen? Ach ja, ich weiß schon wieder. Die Geschichte, die ich euch diesmal erzählen werde, ist höchst merkwürdig. Erstens ist sie merkwürdig, weil sie merkwürdig ist, und zweitens ist sie wirklich passiert. Sie stand vor ungefähr einem halben Jahr in der Zeitung. Aha, denkt ihr und pfeift durch die Zähne: Aha, Kästner hat geklaut!

Hat er aber gar nicht.

Die Geschichte, die in der Zeitung stand, war höchstens zwanzig Zeilen lang. Die wenigsten Leute werden sie gelesen haben, so klein war sie. Es war eine Notiz, und darin hieß es bloß, am Soundsovielten sei in Berlin das und das los gewesen. Ich holte mir sofort eine Schere, schnitt die Notiz aus und legte sie behutsam in das Kästchen für Merkwürdigkeiten. Das Kästchen für Merkwürdigkeiten hat mir Ruth geklebt, auf dem Deckel ist ein Eisenbahnzug mit knallroten Rädern zu sehen, daneben stehen zwei dunkelgrüne Bäume, und darüber schweben drei weiße Wolken, rund wie Schneebälle, alles aus echtem Glanzpapier, wundervoll. Den paar Erwachsenen, die außer mir die Geschichte gelesen haben mögen, ist sie bestimmt nicht aufgefal-

len. Die Notiz war für sie aus Holz. Wieso aus Holz? Das meine ich so:

Wenn ein kleiner Junge ein Stück Holz unterm Ofen vorholt und zu dem Holz »Hü!« sagt, dann ist es ein Pferd, ein richtiges lebendiges Pferd. Und wenn der große Bruder sich kopfschüttelnd das Holz betrachtet und zu dem kleinen Jungen sagt: »Das ist ja gar kein Pferd, sondern du bist ein Esel«, so ändert das nicht das Geringste daran. Und mit meiner Zeitungsnotiz war es ähnlich. Die anderen Leute dachten: Na ja, das ist eben eine Notiz von zwanzig Zeilen. Ich aber murmelte »Hokuspokus!« und da war's ein Buch.

Ich erzähle euch das aus einem ganz bestimmten Grunde. Man wird, wenn man Geschichten schreibt, sehr oft gefragt: »He Sie, ist das, was Sie geschrieben haben, auch wirklich passiert?« Besonders die Kinder wollen das immer genau wissen. Da steht man dann da mit seinem dicken Kopf und zieht sich am Spitzbart. Manches in den Geschichten ist natürlich wirklich passiert, aber alles? Man ist doch nicht immer mit dem Notizblock hinter den Leuten hergesaust, um haarklein nachzustenografieren, was sie geredet und getan haben! Oder man wusste noch gar nicht, als ihnen dies und das zustieß, dass man jemals darüber schreiben würde! Ist doch klar, nicht?

Nun stellen sich aber viele Leser, große und kleine, breitbeinig hin und erklären: »Sehr geehrter Herr, wenn das, was Sie zusammengeschrieben haben, nicht passiert ist, dann lässt es uns eiskalt.« Und da möchte ich antworten: Ob wirklich passiert oder nicht, das ist egal. Hauptsache, dass die Geschichte wahr ist! Wahr ist eine Geschichte dann, wenn sie genau so, wie sie berichtet wird, wirklich hätte passieren können. Habt ihr das verstanden? Wenn ihr das verstanden habt, habt ihr ein wichtiges Gesetz der Kunst begriffen. Und wenn ihr's nicht verstanden habt, dann ist es auch nicht schlimm. Und damit ist die Einleitung schon zu Ende, hurra.

Nun weiß ich aus Erfahrung, dass manche Kinder solche Überlegungen, wie eben die mit dem Holz und dem Pferd und der Wirklichkeit und der Wahrheit, sehr gern lesen. Andere Kinder essen lieber drei Tage nichts als Haferschleim, ehe sie sich an so knifflige Dinge heranwagen. Sie haben Angst, ihr kleines, niedliches Gehirn könnte Falten kriegen. Was soll man da machen?

Ich weiß einen Ausweg. Ich werde alles, was in diesem Buch mit Nachdenken verbunden ist, in kleine Abschnitte zusammenfassen, und den Mann, der das Buch druckt, werde ich bitten, dass er meine »Nachdenkereien« anders druckt als die Geschichte selber. Er soll die Nachdenkereien schräg drucken, genau wie diese Einleitung hier. Wenn ihr also etwas Schräggedrucktes seht, dann könnt ihr es überschlagen, als ob es gar nicht dastünde. Kapiert? Ich hoffe, dass ihr verständnisvoll mit den Köpfen nickt.

Was wollte ich gleich noch sagen? Ach ja, ich weiß schon wieder. Ich wollte sagen: Nun kann die Geschichte anfangen.

Erstes Kapitel
Pünktchen spielt Theater

Als Herr Direktor Pogge mittags heimkam, blieb er wie angewurzelt stehen und starrte entgeistert ins Wohnzimmer. Dort stand nämlich Pünktchen, seine Tochter, mit dem Gesicht zur Wand, knickste andauernd und wimmerte dabei. Hat sie Bauchschmerzen?, dachte er. Aber er hielt die Luft an und rührte sich nicht von der Stelle. Pünktchen streckte der silbern tapezierten Wand beide Arme entgegen, knickste und sagte mit zitternder Stimme: »Streichhölzer, kaufen Sie Streichhölzer, meine Herrschaften!« Neben dem Kind kauerte Piefke, Pünktchens kleiner brauner Dackel, hielt den Kopf ganz schief, wunderte sich und klopfte mit dem Schwanz den Takt dazu. Pünktchen erklärte kläglich: »Haben Sie doch ein Herz mit uns armen Leuten. Die Schachtel nur zehn Pfennige.« Piefke, der Hund, begann, sich hinterm Ohr zu kratzen. Wahrscheinlich fand er den Preis zu hoch, oder er bedauerte, dass er kein Geld bei sich hatte.

Pünktchen streckte die Arme noch höher, knickste und stammelte: »Mutter ist völlig erblindet und noch so jung. Drei Schachteln fünfundzwanzig. Gott segne Sie, liebe Dame!« Anscheinend hatte ihr die Wand drei Schachteln Streichhölzer abgekauft.

Herr Pogge lachte laut. So etwas war ihm noch nicht vorgekommen. Da stand seine Tochter in dem Wohnzimmer, das dreitausend Mark gekostet hatte, und bettelte die Tapete an. Pünktchen erschrak, als sie jemanden lachen hörte, drehte sich um, sah den Vater und riss aus. Piefke hoppelte teilnahmslos hinterher.

»Bei euch piept's wohl?«, fragte der Vater, aber er bekam keine Antwort. Da machte er kehrt und ging in sein Arbeitszimmer. Auf dem Schreibtisch lagen Briefe und Zeitungen. Er setzte sich tief in den Ledersessel, zündete sich eine Zigarre an und las.

Pünktchen hieß eigentlich Luise. Aber weil sie in den ersten Jahren gar nicht hatte wachsen wollen, war sie Pünktchen genannt worden. Und so hieß sie auch jetzt noch, obwohl sie längst zur Schule ging und gar nicht mehr klein war. Ihr Vater, der Herr Pogge, war Direktor einer Spazierstockfabrik. Er verdiente viel Geld und viel zu tun hatte er auch. Seine Frau, Pünktchens Mutter, war allerdings anderer Meinung. Sie fand, er verdiene viel zu wenig Geld und arbeite viel zu viel. Er sagte dann immer: »Davon verstehen Frauen nichts.« Aber das konnte sie nicht recht glauben.

Sie wohnten in einer großen Wohnung, nicht weit vom

Pünktchen stand vor der Wand und knickste

Reichstagsufer. Die Wohnung bestand aus zehn Zimmern und war so groß, dass Pünktchen, wenn sie nach dem Essen ins Kinderzimmer zurückkam, meist schon wieder Hunger hatte. So lang war der Weg!

Weil wir gerade vom Essen sprechen: Herr Pogge hatte Hunger. Er klingelte. Berta, das dicke Dienstmädchen, trat ein. »Soll ich verhungern?«, fragte er ärgerlich.

»Bloß nicht!«, sagte Berta. »Aber die gnädige Frau ist noch in der Stadt, und ich dachte …«

Herr Pogge stand auf. »Wenn Sie noch einmal denken, kriegen Sie morgen keinen Ausgang«, erklärte er. »Los! Essen! Rufen Sie das Fräulein und das Kind.« Die dicke Berta setzte sich in Trab und kugelte durch die Tür.

Herr Pogge war der Erste im Speisezimmer. Er nahm eine Tablette, verzog das Gesicht und trank Wasser hinterher. Er schluckte Tabletten, sooft sich dazu Gelegenheit bot. Vor dem Essen, nach dem Essen, vorm Schlafengehen, nach dem Aufstehen, manchmal waren es kreisrunde Tabletten, manchmal kugelrunde, manchmal viereckige. Man hätte vermuten können, es mache ihm Spaß. Er hatte es aber nur mit dem Magen.

Dann erschien Fräulein Andacht. Fräulein Andacht war das Kinderfräulein. Sie war sehr groß, sehr mager und sehr verrückt. »Die hat man als Kind zu heiß gebadet«, erzählte die dicke Berta immer, und die beiden konnten einander auch sonst gut leiden. Früher, als es bei Pogges noch kein Kinderfräulein gab und als noch das Kindermädchen Käte da war, hatte Pünktchen immer bei Berta und Käte in der Küche gesessen. Da hatten sie Schoten ausgepult, und Berta war mit Pünktchen einkaufen gegangen und hatte ihr von ihrem Bruder in Amerika erzählt. Und Pünktchen war immer wohl und munter gewesen und hatte nicht so blass ausgesehen wie jetzt, wo die verrückte Andacht im Hause war.

»Meine Tochter sieht blass aus«, sagte Herr Pogge besorgt. »Finden Sie nicht auch?«

»Nein«, erwiderte Fräulein Andacht. Dann brachte Berta die Suppe und lachte. Fräulein Andacht schielte zu dem Dienstmädchen hinüber. »Was lachen Sie denn so dämlich?«, fragte der Hausherr und löffelte, als kriege er es bezahlt. Aber plötzlich ließ er den Löffel mitten in die Suppe fallen, presste die Serviette vor den Mund, verschluckte sich, hustete entsetzlich und zeigte zur Tür.

Dort stand Pünktchen. Aber, du grüne Neune, wie sah sie aus!

Sie hatte die rote Morgenjacke ihres Vaters angezogen und ein Kopfkissen darunter gewürgt, sodass sie einer runden verbeulten Teekanne glich. Die dünnen nackten Beine, die unter der Jacke vorguckten, wirkten wie Trommelstöcke. Auf dem Kopf schaukelte Bertas Sonntagshut. Das war ein tolles Ding aus buntem Stroh. In der einen Hand hielt Pünktchen das Nudelholz und einen aufgespannten Regenschirm, in der anderen einen Bindfaden. An dem Bindfaden war eine Bratpfanne festgebunden, und in der Bratpfanne, die klappernd hinter dem Kind hergondelte, saß Piefke, der Dackel, und runzelte die Stirn. Übrigens runzelte er die Stirn nicht etwa, weil er verstimmt war, sondern er hatte zu viel Haut am Kopf. Und weil die Haut nicht wusste, wohin, schlug sie Dauerwellen.

Pünktchen spazierte einmal rund um den Tisch, blieb dann vor ihrem Vater stehen, betrachtete ihn prüfend und fragte ernsthaft: »Kann ich mal die Fahrscheine sehen?«

»Nein«, sagte der Vater. »Erkennen Sie mich denn nicht? Ich bin doch der Eisenbahnminister.«

»Ach so«, sagte sie.

Fräulein Andacht stand auf, packte Pünktchen beim Kragen und rüstete sie ab, bis sie wieder wie ein normales Kind aussah. Die dicke Berta nahm das Kostüm und das Nudelholz und den Regenschirm und brachte die Sachen hinaus. Sie lachte noch in der Küche. Man konnte es ganz deutlich hören.

»Wie war's in der Schule?«, fragte der Vater, und weil Pünktchen nicht antwortete, sondern in der Suppe herumplanschte, fragte er gleich weiter: »Wie viel ist drei mal acht?«

»Drei mal acht? Drei mal acht ist einhundertzwanzig durch fünf«, sagte sie. Herr Direktor Pogge wunderte sich über gar nichts mehr. Er rechnete heimlich nach, und weil's stimmte, aß er weiter. Piefke war auf einen leeren Stuhl geklettert, stützte die Vorderpfoten auf den Tisch und gab stirnrunzelnd Obacht, dass alle ihre Suppe aßen. Es sah aus, als wolle er eine Rede halten. Berta brachte Huhn mit Reis und gab Piefke einen Klaps. Der Dackel verstand das falsch und kroch völlig auf den Tisch. Pünktchen setzte ihn auf die Erde hinunter und sagte: »Am liebsten möchte ich ein Zwilling sein.«

Der Vater hob bedauernd die Schultern.

»Das wäre großartig«, sagte das Kind. »Wir gingen dann beide gleich angezogen und hätten die gleiche Haarfarbe und die gleiche Schuhnummer und gleiche Kleider und ganz, ganz gleiche Gesichter.«

»Na und?«, fragte Fräulein Andacht.

Pünktchen stöhnte vor Vergnügen, während sie sich die Sache mit den Zwillingen ausmalte. »Keiner wüsste, wer ich bin und wer sie ist. Und wenn man dächte, ich bin es, ist sie es. Und wenn man dächte, sie ist es, dann bin ich's. Hach, das wäre blendend.«

»Nicht zum Aushalten«, meinte der Vater.

»Und wenn die Lehrerin ›Luise!‹ riefe, dann würde ich aufstehen und sagen: ›Nein, ich bin die andere.‹ Und dann würde die Lehrerin ›Setzen!‹ sagen und die andere aufrufen und schreien: ›Warum stehst du nicht auf, Luise?‹, und die würde sagen: ›Ich bin doch Karlinchen.‹ Und nach drei Tagen bekäme die Lehrerin Krämpfe und Erholungsurlaub fürs Sanatorium, und wir hätten Ferien.«

»Zwillinge sehen meist sehr verschieden aus«, behauptete Fräulein Andacht.

»Karlinchen und ich jedenfalls nicht«, widersprach Pünktchen. »So was von Ähnlichkeit habt ihr noch nicht gesehen. Nicht mal der Direktor könnte uns unterscheiden.« Der Direktor, das war ihr Vater.

»Ich habe schon an dir genug«, sagte der Direktor und nahm sich die zweite Portion Huhn.

»Was hast du gegen Karlinchen?«, fragte Pünktchen.

»Luise!«, rief er laut. Wenn er ›Luise‹ sagte, dann hieß das, jetzt wird pariert, oder es setzt was. Pünktchen schwieg also, aß Huhn mit Reis und schnitt Piefke, der neben ihr kauerte, heimlich Grimassen, bis der sich vor Entsetzen schüttelte und in die Küche sauste.

Als sie beim Nachtisch saßen, es gab Reineclauden, erschien endlich Frau Pogge. Sie war zwar sehr hübsch, aber, ganz unter uns, sie war auch ziemlich unausstehlich. Berta, das Dienstmädchen, hatte mal zu einer Kollegin gesagt: »Meine Gnädige, die sollte man mit 'nem nassen Lappen erschlagen. Hat so ein nettes, ulkiges Kind und so einen reizenden Mann, aber denkst du vielleicht, sie kümmert sich um die zwei? Nicht in die Tüte. Den lieben langen Tag kutschiert sie in der Stadt rum, kauft ein, tauscht um, geht zu Fünf-Uhr-Tees und zu Modevorführungen, und abends muss dann der arme Mann auch noch mitstolpern. Sechstagerennen, Theater, Kino, Bälle, dauernd ist der Teufel los. Nach Hause kommt sie überhaupt nicht mehr. Na, das hat ja nun wieder sein Gutes.«

Frau Pogge erschien also, setzte sich nieder und war gekränkt. Eigentlich hätte sie sich entschuldigen sollen, dass sie so spät kam. Stattdessen tat sie beleidigt, weil man mit dem Essen nicht gewartet hatte. Herr Pogge nahm wieder Tabletten, diesmal viereckige, verzog das Gesicht und trank Wasser hinterher.

»Vergiss nicht, dass wir heute Abend bei Generalkonsul Ohlerich eingeladen sind«, sagte seine Frau.

»Nein«, sagte Herr Pogge.

»Das Huhn ist ganz kalt«, sagte sie.

»Jawohl«, sagte die dicke Berta.

»Hat Pünktchen Schularbeiten auf?«, fragte sie.

»Nein«, sagte Fräulein Andacht.

»Kind, bei dir ist ja ein Zahn locker!«, rief sie.

»Jawohl«, sagte Pünktchen.

Herr Pogge stand vom Tisch auf. »Wie es abends bei uns zu Hause ist, weiß ich schon gar nicht mehr.«

»Dabei sind wir gestern Abend nicht bis vor die Tür gekommen«, entgegnete seine Frau.

»Aber Brückmanns waren da«, sagte er, »und Schramms und Dietrichs, die ganze Bude war voll.«

»Waren wir gestern zu Hause oder waren wir gestern nicht zu Hause?«, fragte sie energisch und sah ihn gespannt an. Herr Direktor Pogge antwortete vorsichtshalber nichts und ging ins Arbeitszimmer. Pünktchen folgte ihm und setzte sich zu ihm in den großen Ledersessel, denn da war Platz für beide. »Der Zahn ist locker?«, fragte er. »Tut es weh?«

»Ach wo«, sagte sie. »Den reiß ich mir gelegentlich raus. Vielleicht heute noch.«

Dann hupte es vor dem Haus. Pünktchen brachte ihren Vater bis vor die Haustür. Herr Hollack, der Schofför, grüßte sie, und sie grüßte ihn wieder. Sie machte das genau wie er, sie legte die Hand an die Mütze, obwohl sie gar keine Mütze aufhatte. Der Vater stieg ein, das Auto fuhr ab, der Vater winkte. Pünktchen winkte wieder.

Als sie ins Haus zurückgehen wollte, stand Gottfried Klepperbein vor der Tür, das war der Sohn von den Portiersleuten, ein ausgemachter Lümmel.

»Du«, sagte er, »wenn du mir zehn Mark gibst, verrat ich's nicht. Sonst sag ich's deinem Vater.«

»Was denn?«, fragte Pünktchen harmlos.

Gottfried Klepperbein vertrat ihr drohend den Weg. »Das weißt du schon ganz gut, stell dich nicht so dumm, mein Herzblatt!«

Pünktchen wollte gern ins Haus, aber er ließ sie nicht hinein. Da stellte sie sich neben ihn, legte die Hände auf den Rücken und blickte erstaunt nach dem Himmel, als ob der Zeppelin käme oder ein Maikäfer auf Schlittschuhen oder so etwas.

Der Junge guckte natürlich auch hinauf, und da rannte sie wie der Blitz an ihm vorbei, und Gottfried Klepperbein sah, wie es so schön heißt, in den Mond.

Die erste Nachdenkerei handelt:

Von der Pflicht

Im ersten Kapitel sind eigentlich schon ziemlich viel Menschen aufmarschiert, nicht? Mal sehen, ob wir sie im Kopf behalten haben:

Da ist also Herr Direktor Pogge, seine werte Frau Gemahlin, Pünktchen, das dürre Fräulein Andacht, die dicke Berta, Gottfried Klepperbein und Piefke, der kleine Dackel. Das heißt, Piefke müssen wir weglassen, Dackel sind keine richtigen Menschen, schade.

Und nun will ich Folgendes fragen: Wer von den Personen hat euch gefallen, und wer nicht?

Wenn ich mal meine Meinung äußern darf: Pünktchen gefällt mir ganz gut und die dicke Berta auch. Über Herrn Pogge kann ich mir noch kein Urteil bilden. Aber Pünktchens Mutter, die kann ich für den Tod nicht leiden.

An der Frau stört mich was. Sie kümmert sich nicht um ihren Mann, warum hat sie ihn dann geheiratet? Sie kümmert sich nicht um ihr Kind, warum hat sie es dann zur Welt gebracht? Die Frau vernachlässigt ihre Pflicht, habe ich recht? Niemand wird etwas dabei finden, dass sie gern ins Theater geht oder ins Kino oder meinetwegen auch zum Sechstagerennen. Aber zunächst einmal ist sie Pünktchens Mutter und Herrn Pogges Frau.

Und wenn sie das vergisst, kann sie uns gernhaben.

Stimmt's?

Zweites Kapitel

Anton kann sogar kochen

Nach dem Mittagessen kriegte Frau Direktor Pogge Migräne. Migräne sind Kopfschmerzen, auch wenn man gar keine hat. Die dicke Berta musste im Schlafzimmer die Jalousien herunterlassen, damit es ganz dunkel wurde, wie richtige Nacht. Frau Pogge legte sich ins Bett und sagte zu Fräulein Andacht: »Gehen Sie mit dem Kind spazieren und nehmen Sie den Hund mit! Ich brauche Ruhe. Und dass nichts passiert!«

Fräulein Andacht ging ins Kinderzimmer, um Pünktchen und den Hund zu holen. Sie platzte mitten in eine Theatervorstellung hinein. Piefke lag in dem Kinderbett und schaute nur mit der Schnauze heraus. Er spielte gerade den Wolf, der Rotkäppchens Großmutter gefressen hat. Er kannte das Märchen zwar nicht, aber er spielte seine Rolle nicht übel. Pünktchen stand vor dem Bett, hatte ihre rote Baskenmütze aufgesetzt und trug Bertas Marktkorb am Arm. »Aber Großmutter«, sagte sie erstaunt, »warum hast du so ein großes, großes Maul?«

Dann verstellte sie ihre Stimme und brummte furchtbar tief: »Damit ich dich besser fressen kann.« Sie stellte ihren Korb ab,

24

trat dicht ans Bett und flüsterte, wie eine Souffleuse, dem kleinen Piefke zu: »So, nun musst du mich fressen.«

Piefke kannte, wie gesagt, das Märchen vom Rotkäppchen noch nicht, wälzte sich auf die Seite und tat nichts dergleichen.

»Friss mich!«, befahl Pünktchen. »Willst du mich gleich fressen?« Dann stampfte sie mit dem Fuß auf und rief: »Donnerwetter noch mal! Hörst du denn schwer? Fressen sollst du mich!«

Piefke wurde ärgerlich, kroch unter der Bettdecke vor, setzte sich aufs Kopfkissen und bellte, so laut er konnte.

»Keinen Schimmer hat der Kerl«, erklärte Pünktchen, »ein hundsmiserabler Schauspieler!«

Fräulein Andacht band Piefke, dem ahnungslosen Wolf, Halsband und Leine um, stopfte das Mädchen in den blauen Mantel mit den Goldknöpfen und sagte: »Hol deinen Leinenhut. Wir gehen spazieren.« Eigentlich wollte Pünktchen die Baskenmütze aufbehalten, aber die Andacht meinte: »Dann darfst du nicht zu Anton.« Das wirkte.

Sie gingen fort. Piefke setzte sich aufs Pflaster und ließ sich von Fräulein Andacht ziehen. »Er rodelt schon wieder«, sagte das Kinderfräulein und nahm ihn auf den Arm, und dort hing er nun wie eine verunglückte Handtasche und zwinkerte unfreundlich. »Auf welcher Straße wohnt der Anton? Hast du dir's gemerkt?«

»Artilleriestraße, vierte Etage, rechts«, sagte Pünktchen.

»Und welche Hausnummer?«

»Einhundertachtzig durch fünf«, sagte Pünktchen.

»Warum merkst du dir nicht gleich sechsunddreißig?«, fragte Fräulein Andacht.

»Es behält sich leichter«, behauptete das Kind. »Übrigens scheint Berta Lunte zu riechen, sie sagt, die Streichhölzer müsste geradezu jemand fressen. Dauernd kaufte sie welche und dauernd wären sie weg. Hoffentlich kommt die Sache nicht raus. Der Klepperbein hat auch schon wieder gedroht. Zehn Mark will er haben, sonst verrät er uns. Wenn er's dem Direktor erzählt, au Backe!«

Fräulein Andacht antwortete nichts. Erstens war sie von Natur mundfaul und zweitens passte ihr diese Unterhaltung nicht. Sie gingen die Spree entlang, über eine kleine eiserne Brücke, den Schiffbauerdamm hinauf, die Friedrichstraße links herum, bogen rechts um die Ecke, und da waren sie in der Artilleriestraße.

»Ein sehr altes, hässliches Haus«, bemerkte das Kinderfräulein. »Sieh dich vor, vielleicht sind Falltüren drin.«

Pünktchen lachte, nahm Piefke auf den Arm und fragte: »Wo treffen wir uns nachher?«

»Du holst mich Punkt sechs Uhr bei Sommerlatte ab.«

»Tanzen Sie da wieder mit Ihrem Bräutigam? Grüßen Sie ihn.

Und vergnügtes Tanzbein!« Dann trennten sie sich. Fräulein Andacht ging tanzen und Pünktchen trat in das fremde Haus. Piefke jaulte, anscheinend gefiel ihm das Haus nicht.

Anton wohnte im vierten Stock. »Das ist fein, dass du mich mal besuchst«, sagte er. Sie begrüßten einander und standen eine ganze Weile in der Tür. Der Junge hatte eine große blaue Schürze um.

»Das ist Piefke«, erklärte Pünktchen.

»Sehr erfreut«, sagte Anton und streichelte den kleinen Dackel. Und wieder standen sie nebeneinander und hielten den Mund.

»Nun aber mal rin in die gute Stube«, meinte Pünktchen schließlich.

Da lachten sie und Anton ging voran. Er führte sie in die Küche. »Ich koche gerade«, sagte er.

»Du kochst?«, fragte sie und brachte den Mund gar nicht wieder zu.

»Na ja«, sagte er. »Was soll man machen? Meine Mutter ist doch schon so lange krank, und da koche ich eben, wenn ich aus der Schule komme. Wir können doch nicht verhungern?«

»Bitte, lass dich nicht stören«, erklärte Pünktchen, setzte Piefke zur Erde, zog den Mantel aus und legte den Hut ab. »Koche nur ruhig weiter. Ich schau dir zu. Was gibt's denn heute?«

»Salzkartoffeln«, sagte er, nahm einen Topflappen und trat zum Herd. Auf diesem stand ein Topf, Anton hob den Deckel hoch, spießte mit einer Gabel in die Kartoffeln, nickte befriedigt und meinte: »Es geht ihr aber schon viel besser.«

»Wem?«, fragte Pünktchen.

»Meiner Mutter. Morgen, hat sie gesagt, will sie ein paar Stunden aufstehen. Und nächste Woche wird sie vielleicht wieder arbeiten. Sie ist Aufwartefrau, weißt du.«

»Aha«, meinte Pünktchen. »Meine Mutter macht gar nichts. Augenblicklich hat sie Migräne.«

Anton nahm zwei Eier, zerschlug sie an einem Topf, kippte die Schalen um, warf sie in den Kohlenkasten, goss etwas Wasser in den Topf, nahm eine Tüte, schüttete etwas Weißes hinter den Eiern und dem Wasser her, und dann quirlte er mit einem kleinen Quirl darin herum. »Du mein Schreck!«, rief er. »Es werden Klümpchen.«

Piefke spazierte zum Kohlenkasten und besuchte die Eierschalen.

»Warum hast du Zucker hineingeschüttet?«, fragte das Mädchen.

»Das war doch Mehl«, antwortete Anton. »Ich mache Rührei, und wenn man Mehl und Wasser daranschüttet, werden die Portionen größer als sonst.«

Pünktchen nickte. »Und wie viel Salz schüttet man an die

Salzkartoffeln?«, erkundigte sie sich. »Ein ganzes Pfund oder bloß ein halbes?«

Anton lachte laut. »Viel, viel weniger!«, sagte er. »Das könnte ja gut schmecken. Nur ein paar Messerspitzen voll natürlich.«

»Natürlich«, sagte Pünktchen und sah ihm zu. Er nahm einen Tiegel, tat Margarine hinein und stellte den Tiegel über die zweite Gasflamme, dann schüttete er die gequirlten Eier in den Tiegel, dass es aufzischte. »Vergiss das Salz nicht, Anton!«, befahl er sich selber, holte eine Prise Salz und streute sie über die gelbe Suppe, die im Tiegel schwamm. Als sie zu backen anfing, rührte er mit einem Löffel um. Es knisterte zutraulich.

»Deswegen heißt es also Rührei«, erklärte das Mädchen.

»Rühr mal 'n bisschen weiter«, bat der Junge und drückte ihr den Löffel in die Hand, und sie rührte in Stellvertretung. Er nahm den Kartoffeltopf, packte ihn mit zwei wollenen Lappen an den Henkeln und schüttete das kochende Wasser in den Ausguss. Die Kartoffeln verteilte er dann auf zwei Teller. »Bei Salzkartoffeln muss man furchtbar aufpassen, sonst wird Matsch daraus«, sagte er.

Pünktchen hörte aber nicht zu. Sie rührte, dass ihr der Arm wehtat. Piefke spielte inzwischen mit den Eierschalen Fußball.

Anton drehte den Gashahn zu, verteilte das Rührei gerecht

auf die beiden Teller, wusch sich die Hände und band die große Schürze ab.

»Wir konnten gestern Abend nicht kommen«, meinte Pünktchen. »Meine Eltern hatten Gäste und blieben zu Haus.«

»Ich dachte mir's schon«, sagte der Junge. »Moment, ich bin gleich wieder da.«

Er nahm die beiden Teller und schob durch die Tür. Pünktchen war allein. Sie versuchte, Piefke eine Eierschale auf den Kopf zu setzen. »Wenn du das lernst«, flüsterte sie, »darfst du im Zirkus auftreten.« Aber der Dackel schien etwas gegen den Zirkus zu haben. Er warf die Eierschale immer wieder herunter. »Denn nicht, oller Dussel«, sagte Pünktchen und sah sich um. Kinder, Kinder, war das eine kleine Küche! Dass Anton ein armer Junge war, hatte sie sich zwar gleich gedacht. Aber dass er eine so kleine Küche hatte, setzte sie dann doch in Erstaunen. Vom Fenster aus blickte man in einen grauen Hof. »Unsere Küche dagegen, was?«, fragte sie den Dackel. Piefke wedelte mit dem Schwanz.

Da kam Anton wieder und fragte: »Wollt ihr mit ins Schlafzimmer kommen, während wir essen?« Pünktchen nickte und nahm Piefke am Schlafittchen.

»Sie sieht noch ziemlich krank aus«, sagte der Junge. »Aber tu mir den Gefallen und lass dir's nicht merken.«

»Wie viel Salz schüttet man an die Salzkartoffeln?«,
erkundigte sich Pünktchen

Es war ganz gut gewesen, dass er das Mädchen schonend vorbereitet hatte. Antons Mutter saß im Bett und sah sehr blass und elend aus. Sie nickte Pünktchen freundlich zu und meinte: »Das ist schön, dass du gekommen bist.«

Pünktchen machte einen Knicks und sagte: »Guten Appetit, Frau Anton. Sie sehen vorzüglich aus. Wie geht es der werten Gesundheit?«

Der Junge lachte, stopfte seiner Mutter noch ein Kopfkissen hinter den Rücken und sagte: »Meine Mutter heißt doch nicht Anton. Anton heiße doch nur ich.«

»Die Männer, die Männer«, sagte Pünktchen ganz verzweifelt und verdrehte die Augen. »Was man sich über diese Kerle ärgern muss, nicht wahr, gnädige Frau?«

»Ich bin keine gnädige Frau«, erklärte Antons Mutter lächelnd, »ich bin Frau Gast.«

»Gast«, wiederholte Pünktchen. »Richtig, es steht ja auch draußen an der Tür. Ein hübscher Name übrigens.« Sie hatte sich vorgenommen, alles, was sie hier sah, schön zu finden, um Anton und seine Mutter nicht zu kränken.

»Schmeckt's dir, Muttchen?«, fragte er.

»Großartig, mein Junge«, antwortete die kranke Frau und langte tüchtig zu. »Na, morgen koch ich wieder selber. Du kommst ja überhaupt nicht mehr zum Spielen. Die Schularbeiten leiden auch drunter. Gestern hat er sogar Deutsches Beefsteak zustande gebracht«, erzählte sie dem Mädchen. Und Anton bückte sich tief über den Teller, um nicht zu zeigen, dass ihn das Lob freute.

»Vom Kochen verstehe ich keine Silbe«, gab Pünktchen zu. »Das erledigt bei uns die dicke Berta, hundertachtzig Pfund wiegt sie. Dafür kann ich aber Tennis spielen.«

»Und ihr Vater hat ein Auto und einen Schofför«, berichtete Anton.

»Wenn du willst, nehmen wir dich mal mit. Der Direktor ist ein netter Mann«, sagte Pünktchen. »Der Direktor, das ist mein Vater«, fügte sie erläuternd hinzu.

»Es ist ein großer Mercedes, eine Limousine«, ergänzte Anton, »und zehn Zimmer haben sie außerdem.«

»Sie wohnen aber auch sehr schön, Frau Gast«, sagte das Mädchen und setzte Piefke aufs Bett.

»Woher kennt ihr euch eigentlich?«, fragte Frau Gast.

Anton trat Pünktchen auf die Zehen und sagte: »Ach, weißt du, wir haben uns mal auf der Straße angesprochen. Wir waren uns gleich so sympathisch.« Pünktchen nickte zustimmend, betrachtete den Dackel von der Seite und meinte: »Herrschaften, ich glaube, Piefke muss mal raus.«

Frau Gast sagte: »Ihr könntet überhaupt ein bisschen spazieren gehen. Ich werde noch ein paar Stunden nicken.« Anton brachte die Teller in die Küche und holte seine Mütze. Als er wieder hereinkam, meinte die Mutter: »Anton, du musst dir die Haare schneiden lassen.«

»Bloß nicht!«, rief er. »Da fallen einem dann so viele kleine Haare in den Kragen und das kitzelt scheußlich.«

»Gib mir mein Portemonnaie. Du gehst Haarschneiden«, befahl sie.

»Wenn dir so viel daran liegt«, sagte er, »na schön. Aber Geld habe ich selber.« Und weil ihn die Mutter so merkwürdig ansah, sagte er noch: »Ich habe am Bahnhof 'n paar Koffer tragen helfen.« Er gab der Mutter einen Kuss auf die Backe und riet ihr, sehr fest zu schlafen und ja nicht aufzustehen und sich warm zuzudecken und so weiter.

»Zu Befehl, Herr Doktor«, sagte die Mutter und gab Pünktchen die Hand.

»Machen Sie's gut«, meinte Pünktchen zum Abschied. »Aber nun fort, Piefke kann nicht länger warten.«

Der Dackel saß an der Tür und blickte unverwandt zur Klinke hinauf, als wolle er sie hypnotisieren. Da mussten alle drei lachen und dann liefen die Kinder vergnügt fort.

Die zweite Nachdenkerei handelt:

Vom Stolz

Ich weiß nicht, wie ihr darüber denkt. Findet ihr es recht, dass ein Junge kocht? Dass er sich eine Schürze von der Mutter umbindet und Kartoffeln schält und sie in einen Topf tut und Salz darüber streut und was sonst alles?

Paul, mit dem ich davon sprach, sagte: »Ich würde nicht kochen. Ich denke ja gar nicht daran.«

»Hm«, sagte ich, »wenn deine Mutter nun im Bett läge, und sie wäre krank, und der Arzt hätte verordnet, dass sie tüchtig und regelmäßig zu essen bekommt, sonst würde sie vielleicht sterben ...«

»Also schön«, antwortete Paul hastig, »dann würde ich eben auch kochen, genau wie Ihr Anton. Meinetwegen, aber schämen würde ich mich trotzdem. Kochen ist nichts für Jungen.«

»Wenn du mit einer Puppenküche spieltest, hättest du vielleicht Grund, dich zu schämen«, sagte ich. »Wenn du aber dafür sorgst, dass deine kranke Mutter pünktlich zu essen kriegt, kannst du eher stolz darauf sein. Du könntest noch viel stolzer darauf sein als darauf, dass du vier Meter weit springst ...«

»Vier Meter zwanzig«, sagte Paul.

»Siehst du«, rief ich, »darauf bildest du dir nun etwas ein!«

»Ich habe mir's überlegt«, sagte Paul nach einer Weile, »ich würde mich vielleicht doch nicht schämen, wenn man mich beim Kochen erwischte. Aber lieber wäre mir's, es käme keiner dazu. Ich glaube, ich würde die Küchentür abriegeln. Im Übrigen ist meine Mutter ja gar nicht krank. Und wenn sie krank wäre, hätten wir eine Zugehfrau. Da könnte die doch kochen!«

So ein Dickkopf, was?

Drittes Kapitel
Ein Hund wird rasiert

Piefke machte gleich an der ersten Laterne Station. Als die Kinder weiterwollten, lief er nicht mit. Pünktchen musste ihn ziehen. »Er rodelt schon wieder«, erklärte sie.

»Gib mal her!«, sagte Anton. »Das werden wir gleich haben.« Er packte die Leine und zog sein Taschentuch aus der Tasche, dass man einen weißen Zipfel leuchten sah. Dann rief er: »Piefke!«

Der Dackel hob den Kopf, betrachtete den Zipfel neugierig und dachte: Das ist was zum Fressen. Und als Anton weiterging, wackelte er eilig hinterher, blickte dauernd nach dem Taschentuch und schnupperte.

»Großartig!«, erklärte Pünktchen. »Eine glänzende Idee. Das muss ich mir merken.«

»Wie findest du eigentlich unser Haus?«, fragte er. »Ziemlich schrecklich, was?«

»Es sieht ein bisschen verwahrlaust aus«, meinte sie.

»Wie?«, fragte er.

»Verwahrlaust!«, sagte sie. »Gefällt dir das Wort? Das ist von mir. Ich entdecke manchmal neue Wörter. Wärmometer ist auch von mir.«

»Wärmometer statt Thermometer?«, rief er. »Du meinst es auch nicht gerade böse.«

»Und ob«, sagte sie. »Wollen wir mal Gelächter spielen?« Sie wartete gar nicht ab, ob er wollte oder nicht, sondern nahm ihn bei der Hand und murmelte: »Oje, oje, mir ist gar nicht lächerlich zumute. Ich bin tief-, tieftraurig.« Anton sah sie verwundert an. Sie machte große Augen und hatte eine Falte auf der Stirn. »Oje, oje, mir ist gar nicht lächerlich zumute. Ich bin tief-, tieftraurig«, wiederholte sie. Dann knuffte sie ihn und flüsterte: »Du auch!«

Anton tat ihr den Gefallen. »Oje, oje«, brummte er. »Mir ist gar nicht lächerlich zumute. Ich bin tief-, tieftraurig.«

»Und ich erst«, murmelte sie erschüttert, »oje, oje, mir ist gar nicht lächerlich zumute, ich bin tief-, tieftraurig.« Und weil sich beide anblickten und weil sie beide solche Leichenbittermienen aufgesetzt hatten, lachten sie aus vollem Halse.

»Oje, oje, mir ist gar nicht lächerlich zumute«, fing nun Anton wieder an, und nun mussten sie noch mehr lachen. Schließlich konnten sie sich überhaupt nicht mehr ansehen. Sie lachten und kicherten, fanden kein Ende und bekamen kaum noch Luft. Die Leute blieben bereits stehen. Und Piefke setzte sich hin. Jetzt sind sie völlig übergeschnappt, dachte der Dackel.

Pünktchen hob ihn hoch. Und nun gingen die Kinder weiter. Aber jedes blickte in eine andere Richtung. Pünktchen gackerte noch ein paarmal in sich hinein, dann war auch das vorüber.

»Alle Wetter!«, sagte Anton. »War das anstrengend. Ich bin vollständig zerlacht.« Er wischte sich die Lachtränen aus den Augen. Und dann waren sie beim Friseur. Der Friseur hatte einen ganz kleinen Laden, man musste ein paar Stufen hochklettern.

»Guten Tag, Herr Habekuß«, sagte Anton. »Ich soll mir die Haare schneiden lassen.«

»Schon recht. Nimm Platz, mein Sohn«, sagte Herr Habekuß. »Wie geht's der Mutter?«

»Danke für die Nachfrage. Es geht ihr besser. Aber mit dem Bezahlen geht's noch nicht besser.«

»Wieder wie das letzte Mal«, sagte Herr Habekuß. »Zwanzig Pfennig Anzahlung, den Rest in Raten, hinten kurz, vorn etwas länger, ich weiß schon. Und das kleine Fräulein?«

»Ich bin bloß Publikum«, erklärte Pünktchen. »Lassen Sie sich durch mich nicht stören.«

Herr Habekuß band Anton ein großes weißes Tuch um und säbelte mit der Schere drauflos.

»Kitzelt's schon?«, fragte Pünktchen gespannt. Sie konnte es nicht erwarten. Und weil Anton nicht antwortete, sondern

Pünktchen tat, als ob sie Piefke rasierte

mäuschenstill saß, dachte sie sich rasch etwas anderes aus. Sie
setzte Piefke auf den zweiten Stuhl, band ihm ihr Taschentuch
um den Hals und schmierte ihm Seifenschaum um die Schnauze. Piefke hielt den Schaum zunächst für Schlagsahne, aber weil
das weiße Zeug nicht schmeckte, zog er die Zunge wieder zurück und schüttelte den Kopf.

Pünktchen tat, als ob sie ihn rasierte. Sie schabte ihm mit
dem Zeigefinger den Seifenschaum allmählich wieder vom Fell,
tanzte um ihn herum und unterhielt ihn dabei, wie sie es bei
Friseuren beobachtet hatte.

»Ja, ja, mein Herr«, sagte sie zu dem Dackel. »Das sind Zeiten! Ist Ihnen mein Zeigefinger scharf genug? Das sind Zeiten!
Es ist zum, Sie wissen schon, was ich meine. Stellen Sie sich
vor, bitte die andere Seite, stellen Sie sich vor, wie ich gestern
nach Hause komme, hat meine Frau Drillinge gekriegt, drei
Zelluloidpuppen, lauter Mädchen. Und auf dem Kopf wächst
ihnen rotes Gras. Soll man da nicht verrückt werden? Und
wie ich heute früh den Laden aufmache, steht der Gerichts-
vollzieher schon drin und sagt, er müsse die Spiegel abholen.
Warum?, frag ich den Mann. Wollen Sie mich ruinieren? Tut
mir leid, sagt er, der Finanzminister schickt mich, Sie essen
keinen Rhabarber. Gegen den Strich, Herr Piefke? Wovon sind
Sie übrigens so schön braun? Ach so, Sie benützen Höhen-
sonne. Eine halbe Stunde später kam der Minister persönlich.

41

Wir haben uns geeinigt, ich rasiere ihn eine Woche lang umsonst, täglich zehnmal. Ja, er hat einen sehr starken Bartwuchs. Wünschen Sie Kölnischwasser? Ich werde nächstens verreisen. Der Zeppelin sucht für seine Nordpolfahrt einen seekranken Friseur, der soll den Eisbären die Haare schneiden. Wenn es Ihnen recht ist, bringe ich Ihnen ein Eisbärfell mit. Puder angenehm?«

Pünktchen schmierte dem Dackel weißen Puder über die Schnauze und Piefke starrte entsetzt in den Spiegel. Herr Friseur Habekuß vergaß, Anton die Haare zu schneiden, und Anton schüttelte sich vor Vergnügen. Pünktchen war todernst und begann jetzt, abwechslungshalber, laut vorzulesen, was auf den Plakaten stand, die im Laden hingen. Manchmal warf sie auch die Texte durcheinander. »Benutzen Sie Dralles neue Haarfrisur, Sie erhalten in meinem Geschäft alle einschlägigen Preise zu Originalartikeln, sind Sie zufrieden, sagen Sie es den andern, hier werden Ohrlöcher gestochen, sind Sie unzufrieden, sagen Sie es mir, keine Glatze mehr, die große Mode, sonntags von acht bis zehn Uhr geöffnet, die Herrschaften werden gebeten, das Haareschneiden wochentags erledigen zu lassen, Hühneraugen werden vor dem Gebrauch desinfiziert, die Rasiermesser sind eine unnötige Plage, hüten Sie sich vor Zahnstein.« Sie las das alles in einem so langweilig singenden Ton, als ob sie ein Gedicht deklamiere. Piefke wurde ganz müde davon, gähnte, rollte sich auf dem Stuhl zusammen und machte ein Schläfchen.

»Ist sie nicht erstklassig?«, fragte Anton Herrn Habekuß.

»Ich danke für Obst«, sagte der Friseur. »So was zwei Tage um mich rum und ich sehe weiße Mäuse.« Dann riss er sich zusammen und klapperte mit der Schere. Er wollte rasch fertig werden, um das Mädchen aus dem Laden zu kriegen. Er hatte schwache Nerven.

Dann kam ein Kunde, ein dicker Mann, mit einer weißen Fleischerschürze.

»Sofort, Herr Bullrich«, sagte der Friseur. Anton blickte gespannt in den Spiegel, damit er ja nichts verpasste. Der Fleischermeister nickte, kaum dass er sich gesetzt hatte, ein. Pünktchen stellte sich vor ihm in Positur.

»Lieber Herr Bullrich«, sagte sie zu dem dicken Mann, »können Sie singen?« Der Fleischermeister wurde munter, drehte verlegen seine dicken roten Wurstfinger hin und her und schüttelte den Kopf.

»Oh, wie schade«, meinte Pünktchen. »Sonst hätten wir zwei irgendetwas Schönes vierstimmig singen können. Können Sie wenigstens ein Gedicht vortragen? Wer hat dich, du schöner Wald? oder Festgemauert in der Erden?«

Herr Bullrich schüttelte wieder den Kopf und schielte nach der Zeitung, die am Haken hing. Er traute sich aber nicht.

»Nun die letzte Frage«, erklärte Pünktchen. »Können Sie Handstand?«

»Nein«, sagte Herr Bullrich entschieden.

»Nein?«, fragte Pünktchen bekümmert. »Nehmen Sie's mir nicht übel, aber so etwas von Talentlosigkeit ist mir in meinem ganzen Leben noch nicht vorgekommen!« Dann drehte sie ihm den Rücken und trat neben Anton, der in sich hineinkicherte. »So sind aber die Erwachsenen«, sagte sie zu ihrem Freund. »Wir sollen alles können, rechnen und singen und zeitig schlafen gehen und Purzelbäume, und sie selber haben von nichts 'ne blasse Ahnung. Übrigens habe ich einen wackligen Zahn, guck mal.« Sie machte den Mund weit auf und stieß mit der Zunge an dem kleinen weißen Zahn herum, dass er nur so schaukelte.

»Den musst du dir ziehen«, meinte Anton. »Du nimmst einen Zwirnsfaden, machst eine Schlinge um den Zahn, bindest das andere Ende an die Türklinke, und dann rennst du von der Tür weg. Bums, ist er raus!«

»Der praktische Anton«, sagte Pünktchen und klopfte ihm anerkennend auf die Schulter. »Weißen oder schwarzen?«

»Was denn?«, fragte er.

»Zwirn«, erwiderte sie.

»Weißen«, sagte Anton.

»Gut, ich werde mir's mal beschlafen«, meinte Pünktchen. »Sind Sie bald fertig, Herr Habekuß?«

»Jawohl«, antwortete der Friseur. Dann drehte er sich um und sagte zu Herrn Bullrich: »Ein schwer erziehbares Kind, wie?«

Auf der Straße fasste Pünktchen Anton bei der Hand und fragte: »War's sehr schlimm?«

»Na, es war allerhand«, sagte er. »Das nächste Mal nehme ich dich nicht wieder mit.«

»Dann lässt du's eben bleiben«, entgegnete sie und ließ seine Hand los.

Sie waren schon an der Weidendammer Brücke. Pünktchen unterhielt sich mit dem Hund, aber lange ertrug sie Antons Schweigen nicht. »Was fehlt eigentlich deiner Mutter?«, fragte sie.

»Sie hatte ein Gewächs im Leib. Dann wurde sie ins Krankenhaus gebracht und dort wurde ihr das Gewächs herausgeschnitten. Ich habe sie täglich besucht. Mein Gott, sah sie damals schlecht aus, ganz mager und quittegelb. Und nun liegt sie seit vierzehn Tagen zu Haus. Es geht ihr schon viel besser. Die Krankenschwestern waren immer sehr nett zu mir. Ich glaube, sie dachten, meine Mutter müsste sterben.«

»Was für ein Gewächs hatte sie denn?«, fragte Pünktchen. »Eines mit Blüten und Blättern und einem Blumentopf und so? Hatte sie das denn aus Versehen verschluckt?«

»Sicher nicht«, sagte er. »Davon müsste ich doch was wissen. Nein, es war ihr innerlich gewachsen.«

»Eine Geranie oder eine Stechpalme?«, fragte Pünktchen neugierig.

»Nein, nein, das muss Haut und Fleisch sein, was im Innern wächst. Und wenn man es nicht rausmachen lässt, stirbt man.«

Nach einer Weile blieb Pünktchen stehen, verschränkte die Hände vor ihrem Bauch und jammerte: »Anton, lieber Anton, es drückt so hier drin. Pass auf, ich habe auch ein Gewächs. Es ist sicher eine kleine Tanne. Ich habe Tannen so gern.«

»Nein«, sagte er. »Du hast keinen Baum, du hast einen Vogel.«

Die dritte Nachdenkerei handelt:

Von der Fantasie

Es ist euch sicher aufgefallen, dass Pünktchen ein ziemlich ab-wechslungsreiches Mädchen ist. Sie macht vor der Wand Knick-se und verkauft ihr Streichhölzer, sie verkleidet sich und zieht den Dackel in einer Bratpfanne hinter sich her, sie legt ihn ins Bett und bildet sich ein, er wäre der Wolf und müsste sie fressen. Sie bittet Herrn Fleischermeister Bullrich, mit ihr vierstimmig zu singen. Schließlich bildet sie sich sogar ein, sie habe ein Ge-wächs. Sie bildet sich Dinge ein, die es gar nicht gibt oder die in Wirklichkeit ganz anders sind, als sie es sich einbildet.

Ich habe einmal von einem Mann gelesen, der sehr viel Fan-tasie besaß und deshalb sehr lebhaft träumte. Einmal träumte er zum Beispiel, er spränge aus dem Fenster. Und da wachte er auf und lag doch tatsächlich auf der Straße! Nun wohnte er glück-licherweise im Parterre. Aber stellt euch vor, der arme Mann hätte vier Treppen hoch gewohnt! Da hätte ja seine Fantasie lebensgefährlich werden können. Fantasie ist eine wunderbare Eigenschaft, aber man muss sie im Zaum halten.

Viertes Kapitel
Einige Meinungsverschiedenheiten

Fräulein Andacht saß inzwischen mit ihrem Bräutigam bei Sommerlatte und manchmal tanzten sie miteinander. Zwischen den Tischen standen herrlich blühende Apfelbäumchen, die waren aus Pappe und Papier und sahen sehr natürlich aus. In den Pappzweigen hingen, außer den Papierblüten, bunte Ballons und lange Luftschlangen. Das Lokal sah lustig aus und die Kapelle spielte vergnügte Tänze. Fräulein Andacht hatte, weil sie so groß und mager war, eigentlich nicht mehr geglaubt, dass sie einen Bräutigam bekäme, und nun hatte sie seit vierzehn Tagen doch einen. Wenn er bloß nicht so streng gewesen wäre! Fortwährend kommandierte er herum, und wenn sie nicht gleich gehorchte, blickte er sie so unheimlich an, dass ihr vor Schreck die Ohren abstanden.

»Hast du kapiert?«, fragte er, beugte sich weit vor und funkelte sie böse an.

»Willst du das wirklich tun, Robert?«, fragte sie ängstlich.

»Ich habe zweihundert Mark auf der Sparkasse, die kannst du haben.«

»Deine paar Groschen, dämliche Ziege!«, sagte er. Woraus man sieht, dass er kein sehr vornehmer Kavalier war. »Bis morgen muss ich den Plan haben.«

Fräulein Andacht nickte ergeben. Dann flüsterte sie: »Still, die Kinder kommen.«

Pünktchen und Anton traten an den Tisch. »Das ist Robert der Teufel«, sagte Pünktchen zu Anton und zeigte auf den Bräutigam.

»Aber Pünktchen!«, rief Fräulein Andacht entsetzt.

»Lass sie doch«, meinte der Bräutigam und lächelte künstlich. »Sie macht ja nur Spaß, die kleine Prinzessin. Ei, ist das ein niedlicher Pinscher!«, sagte er dann und wollte den Dackel streicheln. Aber Piefke sperrte die Schnauze auf, knurrte und wollte beißen. Dann mussten sie sich setzen. Der Bräutigam wollte ihnen heiße Schokolade bestellen, aber Anton sagte: »Nein, mein Herr, machen Sie sich unsertwegen keine unnötigen Ausgaben.«

Weil die Kapelle wieder zu spielen begann, tanzte Fräulein Andacht mit ihrem Robert. Die Kinder blieben am Tisch.

»Wollen wir auch tanzen?«, fragte Pünktchen.

Anton lehnte das Angebot strikt ab. »Ich bin doch schließlich ein Junge. Übrigens, dieser Robert gefällt mir gar nicht!«

»Nicht wahr!«, meinte Pünktchen. »Er hat einen Blick, der ist

wie gespitzte Bleistifte. Piefke hat auch etwas gegen ihn. Aber sonst ist es hier hinreizend!«

»Hinreizend?«, erkundigte sich Anton. »Ach so, wieder eine Erfindung von dir.«

Pünktchen nickte. »Anton, es gibt noch einen, der mir nicht

gefällt. Das ist unser Portiersjunge. Er hat gesagt, wenn ich ihm nicht zehn Mark gebe, verrät er die Sache meinem Vater. Gottfried Klepperbein heißt er.«

Anton sagte: »Du, den kenn ich. Der geht in meine Schule, eine Klasse höher. Na warte, den werde ich mal aus dem Anzug stoßen.«

»Au fein!«, rief das Mädchen. »Er ist aber größer als du.«

»Von mir aus«, sagte der Junge. »Den zerreiß ich in der Luft.«

Währenddem tanzten also Fräulein Andacht und ihr Bräutigam. Und viele andere Leute tanzten auch. Robert schielte wütend zu den Kindern hinüber und flüsterte: »Schaff mir die Bälger aus den Augen. Morgen Nachmittag treffen wir uns wieder hier. Was sollst du mitbringen?«

»Den Plan«, sagte Fräulein Andacht. Es klang, als hätte sich ihre Stimme den Fuß verstaucht.

Auf der Straße sagte Fräulein Andacht: »Du schreckliches Kind! Meinen Bräutigam so zu ärgern!«

Pünktchen gab keine Antwort, sondern verdrehte die Augen, um Anton zum Lachen zu bringen.

Fräulein Andacht war beleidigt. Sie lief mit Piefke voraneweg, als kriegte sie es bezahlt. Ehe sie sich's recht versahen, standen sie vor Pogges Haus.

»Hör mal gut zu«, sagte Anton zu Gottfried Klepperbein

»Also heute Abend treffen wir uns wieder«, sagte Pünktchen. Und Anton nickte. Während sie so herumstanden, kam Gottfried Klepperbein zufällig aus der Tür und wollte an ihnen vorbeigehen.

»Moment mal«, rief Anton. »Ich habe dir was Wichtiges zu erzählen.« Gottfried Klepperbein blieb stehen.

»Marsch ins Haus!«, sagte Anton zu Pünktchen.

»Zerreißt du ihn jetzt in der Luft?«, fragte Pünktchen.

»Das ist nichts für Frauen«, sagte er. Fräulein Andacht und Pünktchen gingen ins Haus. Pünktchen blieb gleich hinter der Tür stehen und blinzelte durch die Glasscheibe, die in der Tür war. Aber Anton wusste das nicht.

»Hör mal gut zu«, sagte er zu Gottfried Klepperbein. »Wenn du die Kleine noch mal belästigst, kriegst du's mit mir zu tun. Sie steht unter meinem Schutz, verstanden?«

»Du mit deiner feinen Braut«, lachte Klepperbein. »Du bist ja total blödsinnig!« In diesem Moment bekam er eine solche Ohrfeige, dass er sich aufs Pflaster setzte. »Na warte!«, rief er und sprang hoch. Doch da kriegte er bereits die zweite Ohrfeige, diesmal von der andern Seite, und er setzte sich wieder hin. »Na warte«, sagte er, aber vorsichtshalber blieb er gleich sitzen.

Anton trat noch einen Schritt näher. »Heute habe ich dir's im Guten gesagt«, meinte er. »Wenn ich aber wieder etwas hören sollte, dann werde ich handgreiflich.« Damit schritt er an Gottfried Klepperbein vorüber und blickte ihn nicht mehr an.

»Kruzitürken«, sagte Pünktchen hinter der Tür, »was der Junge alles kann!«

Fräulein Andacht war schon immer in die Wohnung gegangen. Als sie an der Küche vorbeikam, rief die dicke Berta, die auf einem Stuhl saß und Kartoffeln schälte: »Treten Sie mal einen Schritt näher!«

Die Andacht hatte gar keine Lust dazu, aber sie folgte. Denn sie hatte vor Berta Angst.

»Sie«, sagte Berta, »ich habe zwar mein Zimmer drei Treppen höher, unterm Dach. Aber ich merke trotzdem, dass hier irgendwas nicht stimmt. Wollen Sie mir gefälligst erklären, warum das Kind in der letzten Zeit so blass aussieht und solche Ringe unter den Augen hat? Und warum es früh nicht aus dem Bett will?«

»Pünktchen wächst«, meinte die Andacht. »Sie müsste Lebertran einnehmen oder Eisen.«

»Sie sind mir schon längst ein Haar in der Suppe«, sagte Berta. »Wenn ich mal dahinterkäme, dass Sie Heimlichkeiten haben, dann trinken Sie den Lebertran, und zwar gleich mit der Flasche!«

»Sie sind mir ja viel zu gewöhnlich, Sie können mich nicht

beleidigen«, bemerkte das Kinderfräulein und rümpfte die Nase.

»Ich kann Sie nicht beleidigen?«, fragte die dicke Berta und erhob sich. »Das wollen wir doch mal sehen. Sie Schafsnase, Sie hinterlistige Hopfenstange, Sie können ja aus der Dachrinne Kaffee trinken, Sie impertinentes Gespenst, Sie …«

Fräulein Andacht hielt sich beide Ohren zu, kniff vor Wut die Augen klein und schob wie eine Giraffe durch den Korridor.

Die vierte Nachdenkerei handelt:

Vom Mut

Ich möchte an dieser Stelle ein bisschen über den Mut reden. Anton hat eben einem Jungen, der größer ist als er, zwei Ohrfeigen gegeben. Und da könnte man ja nun meinen, Anton habe Mut bewiesen. Es war aber gar nicht Mut, es war Wut. Und das ist ein kleiner Unterschied, nicht nur im Anfangsbuchstaben.

Mut kann man nur haben, während man kaltes Blut hat. Wenn sich ein Arzt, um zu probieren, ob er recht hat, lebensgefährliche Bakterien einspritzt und anschließend mit einem Gegenmittel impft, das er entdeckt hat, zeigt er Mut. Wenn ein Polarforscher, um Entdeckungen zu machen, mit ein paar Hundeschlitten nach dem Nordpol kutschiert, beweist er Mut. Wenn Professor Piccard mit einem Ballon in die Stratosphäre aufsteigt, obwohl noch niemand vorher dort oben war, dann ist er mutig.

Habt ihr die Sache mit Professor Piccard verfolgt? Das war interessant. Er wollte wiederholt aufsteigen, aber dann unterließ er es wieder, weil das Wetter nicht geeignet war. Die Zeitungen machten sich schon über ihn lustig. Die Leute lachten schon, wenn sie seine Fotografie sahen. Aber er wartete den geeigneten

Moment ab. Er war so mutig, dass er sich lieber auslachen ließ, als eine dumme Handlung zu begehen. Er war nicht tollkühn, er war nicht verrückt, er war ganz einfach mutig. Er wollte etwas erforschen, er wollte nicht berühmt werden.

Mut beweist man nicht mit der Faust allein, man braucht den Kopf dazu.

Fünftes Kapitel

Jeder sein eigener Zahnarzt

Direktor Pogge war noch in seiner Spazierstockfabrik. Die gnädige Frau lag noch im Schlafzimmer und vertrieb sich die Zeit mit Migräne. Fräulein Andacht saß in ihrer Stube.

Pünktchen und Piefke waren bis zum Abendessen allein. Pünktchen holte sich bei der dicken Berta weißen Zwirn und sagte zu dem Dackel, der etwas müde in seinem Körbchen hockte: »Nun pass mal auf, mein Kleiner!« Piefke passte auf. Er war, solange er müde war, ein folgsamer Hund.

Das Kind riss etwas Zwirn von der Rolle, schlang das eine Ende in einem Knoten um den wackligen Zahn und befestigte das andere Ende an der Türklinke. »Jetzt wird's ernst«, sagte Pünktchen und machte »Brrr!«. Dann ging sie allmählich von der Tür weg, bis der Zwirnsfaden straff gespannt war. Sie ruckte ein wenig an, stöhnte erbärmlich und schnitt ein verzweifeltes Gesicht. Sie ging wieder zur Tür, der Zwirn wurde wieder locker. »Piefke, Piefke«, erklärte sie, »das ist kein Beruf für mich.« Dann lief sie noch einmal von der Tür fort, aber sie jammerte schon, bevor der Faden straff war.

»Ausgeschlossen«, sagte sie, »wenn der Junge hier wäre, würde ich's vielleicht riskieren.« Sie lehnte sich an die Tür und dachte angestrengt nach. Dann knotete sie den Zwirn von der Klinke los.

»Gib mal Pfötchen«, befahl sie. Aber das konnte Piefke noch nicht. Pünktchen bückte sich, hob den Dackel hoch und setzte ihn auf ihr kleines Schreibpult. Sie band das freie Fadenende um Piefkes linkes Hinterbein. »Und nun spring runter!«, bat sie.

Piefke rollte sich stattdessen zusammen und gedachte, auf dem Pult einen langen Schlaf zu tun.

»Spring runter!«, murmelte Pünktchen drohend und schloss, dem Schicksal ergeben, die Augen.

Der kleine Dackel spitzte, so gut das bei seinen Löffeln möglich war, die Ohren. Aber vom Springen war nach wie vor keine Rede.

Pünktchen öffnete die Augen wieder. Die auf Vorrat ausgestandene Angst war umsonst gewesen. Da gab sie Piefke einen Stoß und nun blieb ihm nichts weiter übrig: Er sprang auf den Boden. »Ist der Zahn raus?«, fragte sie ihn. Der Hund wusste es auch nicht. Pünktchen griff sich in den Mund. »Nein«, sagte sie. »Der Faden ist zu lang, mein Sohn.«

Da kletterte sie mit Piefke unterm Arm auf den Schemel, der vor dem Pult stand; dann bückte sie sich und setzte den Hund wieder aufs Pult. »Wenn das nicht hilft«, murmelte sie, »lass ich mich chloroformieren.« Sie gab Piefke einen kleinen Stoß, er rutschte das Pult hinab, Pünktchen stellte sich kerzengerade. Der Hund segelte über die Pultkante ins Parterre.

»Au!«, schrie das Kind. Es schmeckte Blut. Piefke hoppelte in den Korb. Er war froh, dass er nicht mehr angebunden war. Pünktchen wischte sich ein paar Tränen aus den Augen. »Junge, Junge«, sagte sie und suchte ein Taschentuch. Schließlich fand sie eines, schob es in ihren Mund und biss darauf. Der Zwirnsfaden hing über den Korbrand. Ein kleiner, weißer Zahn lag mitten im Zimmer. Pünktchen befreite den Hund von seinem Zwirn, hob den Zahn auf und tanzte durch das Zimmer. Dann sauste sie zu Fräulein Andacht.

»Der Zahn ist raus, der Zahn ist raus!«

Fräulein Andacht bedeckte rasch ein Stück Papier, in der rechten Hand hielt sie einen Bleistift. »So?«, sagte sie. Das war alles.

»Was ist mit Ihnen los?«, fragte Pünktchen. »Sie sind seit ein paar Tagen sehr komisch, merken Sie das nicht selbst? Wo brennt's denn?« Sie stellte sich neben das Kinderfräulein, schielte heimlich nach dem Papier und sagte, als sei sie ihr eigner Großvater: »Na, nun schütten Sie mal Ihr Herz aus.«

Fräulein Andacht hatte keine Lust zu beichten. »Wann hat Berta eigentlich Ausgang?«, fragte sie.

»Morgen«, erklärte Pünktchen. »Und wozu wollen Sie das wissen?«

»Nur so«, sagte das Fräulein.

»Nur so!«, rief Pünktchen aufgebracht. »Solche Antworten hab ich gern.«

Aber aus dem Fräulein war heute nichts herauszubringen. Jedes Wort kostete einen Taler. Da ließ sich Pünktchen, als ob sie gestolpert sei, gegen den Arm des Fräuleins fallen. Das Papier wurde sichtbar. Es enthielt lauter mit Bleistift gezogene Vierecke. »Wohnzimmer« stand in dem einen Viereck, »Arbeitszimmer« in dem andern. Aber dann lagen schon wieder die großen, dürren Hände des Fräuleins darüber.

Pünktchen wusste nicht, was sie davon halten sollte, und dachte: Das muss ich heut Abend Anton erzählen, vielleicht versteht der's.

Anderthalb Stunden später lag das Kind im Bett. Die Andacht saß daneben und las das Märchen vom Swinegel und seiner Frau vor. »Da haben Sie's«, meinte Pünktchen, »die beiden Schweinigel sehen aus wie Zwillinge. Ich hatte schon ganz recht, heute Mittag. Wenn ich ein Zwilling wäre, und der andere Zwilling hieß Karlinchen, dann könnten wir in der Turnstunde auch jedes Wettrennen gewinnen.«

Dann kamen die Eltern ins Kinderzimmer. Die Mutter trug

ein schönes seidenes Abendkleid und goldene Schuhe und der Vater war im Smoking. Sie gaben der Tochter je einen Gutenachtkuss und Frau Pogge sagte: »Schlaf gut, meine Süße.«

»Wird gemacht«, erklärte Pünktchen.

Der Vater setzte sich auf den Bettrand, aber seine Frau drängte: »Komm, der Generalkonsul liebt die Pünktlichkeit.«

Das kleine Mädchen nickte dem Vater zu und sagte: »Direktor, macht keine Dummheiten!«

Kaum waren die Eltern fort, sprang Pünktchen aus dem Bett und rief: »Los geht's!« Fräulein Andacht rannte in ihr Zimmer und holte aus der Kommode ein altes zerrissenes Kleidchen. Das brachte sie dem Kind. Sie selber zog einen mit Flicken besetzten Rock an und einen schrecklich verschossenen grünen Jumper. »Bist du fertig?«, fragte sie.

»Jawohl!«, rief Pünktchen vergnügt, und dabei sah sie in ihrem zerrissenen Kleid zum Erbarmen aus. »Sie haben Ihr Kopftuch noch nicht um«, sagte sie.

»Wo habe ich das denn vorgestern hingelegt?«, fragte Fräulein Andacht; doch dann fand sie es, band es sich um, setzte eine blaue Brille auf, holte eine Markttasche unterm Sofa vor, und so verkleidet schlichen die beiden auf den Zehenspitzen aus dem Haus.

Zehn Minuten, nachdem sie das Haus verlassen hatten, kam Berta die Treppe, die zu ihrem höher gelegenen Mädchenzimmer führte, leise herabgeschlichen, so leise die dicke Berta eben schleichen konnte. Sie klopfte sacht an Pünktchens Tür, aber niemand antwortete.

»Ob sie denn schon schläft, die kleine Krabbe?«, fragte sie sich. »Vielleicht verstellt sie sich bloß. Da will ich ihr nun ein Stück von dem frisch gebackenen Kuchen zustecken; aber seit die Andacht, dieses dumme Luder, da ist, traut man sich rein gar nichts mehr. Neulich, wie ich die Tür aufgeklinkt habe, hat sie mich gleich bei der Gnädigen verklatscht. Der Schlaf vor Mitternacht sei der beste und dürfe nicht gestört werden. So 'n Quatsch, Schlaf vor Mitternacht! Pünktchen sieht jetzt manchmal aus, als ob sie nachts überhaupt nicht mehr schläft. Und dauernd das Getue und Getuschle. Ich weiß nicht, mir kommt hier neuerdings alles ganz komisch vor. Wenn der Direktor und Pünktchen nicht wären, wär ich längst getürmt.«

»Wirst du wohl«, drohte sie Piefke, der sich in seinem Körbchen vor Pünktchens Tür aufgerichtet hatte und nach dem Kuchen sprang. »Leg dich hin, du Töle, keinen Mucks! Hier hast du ein Stückchen, aber nun ruhig. Du bist noch der Einzige im Haus, der keine Heimlichkeiten vor einem hat.«

Die fünfte Nachdenkerei handelt:

Von der Neugierde

Wenn meine Mutter einen Roman liest, macht sie das so: Erst liest sie die ersten zwanzig Seiten, dann den Schluss, dann blättert sie in der Mitte, und nun nimmt sie erst das Buch richtig vor und liest es von Anfang bis Ende durch. Warum macht sie das? Sie muss, ehe sie den Roman in Ruhe lesen kann, wissen, wie er endet. Es lässt ihr sonst keine Ruhe. Gewöhnt euch das nicht an! Und falls ihr es schon so macht, gewöhnt es euch wieder ab, ja?

Das ist nämlich so, als wenn ihr vierzehn Tage vor Weihnachten in Mutters Schrank stöbert, um vorher zu erfahren, was ihr geschenkt kriegt. Und wenn ihr dann zur Bescherung gerufen werdet, wisst ihr schon alles. Ist das nicht schrecklich? Da müsst ihr dann überrascht tun, aber ihr wisst ja längst, was ihr bekommt, und eure Eltern wundern sich, warum ihr euch gar nicht richtig freut. Euch ist das Weihnachtsfest verdorben und ihnen auch.

Und als ihr heimlich im Schrank herumsuchtet und die Geschenke vierzehn Tage früher fandet, hattet ihr, vor lauter Angst, überrascht zu werden, auch keine rechte Freude. Man muss abwarten können. Die Neugierde ist der Tod der Freude.

Sechstes Kapitel

Die Kinder machen
Nachtschicht

Kennt ihr die Weidendammer Brücke? Kennt ihr sie am Abend, wenn unterm dunklen Himmel ringsum die Lichtreklamen schimmern? Die Fassaden der Komischen Oper und des Admiralspalastes sind mit hellen Schaukästen und bunter Leuchtschrift bestreut. An einem anderen Giebel, jenseits der Spree, zappelt in tausend Glühbirnen die Reklame für ein bekanntes Waschmittel, man sieht einen riesigen Kessel, der Wasserdampf steigt empor, ein blütenweißes Hemd erhebt sich wie ein freundlicher Geist, eine ganze bunte Bilderserie läuft ab. Und dahinter, über den Häusern des Schiffbauerdamms, glänzt der Giebel des Großen Schauspielhauses.

Autobusse rollen in Kolonnen über den Brückenbogen. Im Hintergrunde erhebt sich der Bahnhof Friedrichstraße. Hochbahnen fahren über die Stadt hin, die Fenster der Züge sind erleuchtet, und die Wagen gleiten wie schillernde Schlangen in die Nacht. Manchmal ist der Himmel rosa vom Widerschein des vielen Lichts, das unter ihm strahlt.

Berlin ist schön, hier besonders, an dieser Brücke, und abends am meisten! Die Autos drängen die Friedrichstraße hinauf. Die Lampen und die Scheinwerfer blitzen und auf den Fußsteigen schieben sich die Menschen vorwärts. Die Züge pfeifen, die Autobusse rattern, die Autos hupen, die Menschen reden und lachen. Kinder, das ist ein Leben!

Auf der Brücke stand eine dürre, arme Frau mit einer dunklen Brille. Sie hielt eine Tasche und ein paar Schachteln Streichhölzer in der Hand. Neben ihr knickste ein kleines Mädchen in einem zerrissenen Kleid. »Streichhölzer, kaufen Sie Streichhölzer, meine Herrschaften!«, rief das kleine Mädchen mit zitternder Stimme. Viele Menschen kamen, viele Menschen gingen vorüber. »Haben Sie doch ein Herz mit uns armen Leuten«, rief das Kind kläglich, »die Schachtel nur zehn Pfennig.« Ein dicker Mann näherte sich der Gruppe und griff in die Tasche.

»Mutter ist völlig erblindet und noch so jung. Drei Schachteln fünfundzwanzig!«, stammelte das Mädchen. Der dicke Mann gab ihr einen Groschen und ging weiter. »Gott segne Sie, liebe Dame!«, rief das Kind. Da erhielt es von der dürren Person einen Stoß. »Das war doch keine Dame, das war doch ein Mann, du dummes Ding«, murmelte die Frau ärgerlich.

»Sind Sie nun blind oder nicht!«, fragte das kleine Mädchen

gekränkt. Dann knickste sie aber wieder und rief zitternd: »Streichhölzer, kaufen Sie Streichhölzer, meine Herrschaften!«, und jetzt gab ihr eine alte Dame einen Groschen und nickte freundlich.

»Das Geschäft blüht«, flüsterte das Kind. »Wir haben schon zwei Mark dreißig eingenommen und nur fünf Schachteln Streichhölzer hergegeben.« Dann rief sie wieder kläglich: »Haben Sie doch ein Herz mit uns armen Leuten. Die Schachtel nur zehn Pfennige!« Plötzlich hüpfte sie vergnügt und winkte. »Anton steht auf der anderen Seite«, berichtete sie. Dann fiel sie aber gleich wieder in sich zusammen, knickste und klagte, dass den Vorübergehenden angst und bange wurde. »Vielen heißen Dank«, sagte sie. Das Kapital wuchs. Sie warf das Geld in die Markttasche. Es fiel auf die anderen Münzen und klimperte lustig. »Und Sie schenken das ganze Geld Ihrem Bräutigam?«, fragte sie. »Da kann der aber lachen.«

»Halte den Mund«, befahl die Frau.

»Na ja, ist doch wahr!«, erwiderte Pünktchen. »Wozu stehen wir denn sonst Abend für Abend hier und halten Maulaffen feil?«

»Kein Wort mehr!«, murmelte die Frau böse.

»Streichhölzer, kaufen Sie Streichhölzer, meine Herrschaften!«, jammerte Pünktchen wieder, denn es kamen Leute vorbei. »Wir sollten lieber dem Anton was abgeben. Er hat doch

67

bis zum Sonnabend die faule Seite.« Plötzlich quiekte sie, als hätte sie wer getreten. »Da kommt der Klepperbein, der Lausejunge.«

Anton stand auf der anderen Seite der Brücke, auf der faulen Seite, wo wenig Menschen vorübergingen. Er hielt einen kleinen aufgeklappten Handkoffer vor sich und sagte, wenn jemand vorbeikam: »Braune oder schwarze Schnürsenkel für Halbschuhe gefällig? Streichhölzer kann man immer brauchen, bitte schön.« Er hatte kein kaufmännisches Talent. Er verstand es nicht, den Leuten vorzujammern, obwohl ihm das Heulen näher war als das Lachen. Er hatte dem Hauswirt versprochen, übermorgen fünf Mark Miete abzuzahlen, das Wirtschaftsgeld war auch schon wieder zu Ende. Er musste morgen Margarine besorgen, sogar ein Viertelpfund Leberwurst plante er.

»Du gehörst ja auch eher ins Bett als hierher«, sagte ein Herr.

Anton sah ihn groß an. »Das Betteln macht mir aber solchen Spaß«, murmelte er.

Der Mann schämte sich ein bisschen. »Na ja, schon gut«, meinte er. »Sei nur nicht gleich böse.« Und dann gab er ihm ein Geldstück. Es waren fünfzig Pfennig!

»Ich danke Ihnen sehr«, sagte Anton und hielt ihm zwei Paar Schnürsenkel hin.

»Ich trage Zugstiefel«, erklärte der Herr, zog den Hut vor dem Jungen und ging eilig weiter.

Anton freute sich und blickte über die Brücke zu seiner Freundin. Hallo, war das nicht Klepperbein? Er schlug sein Köfferchen zu und rannte über die Straße. Gottfried Klepperbein hatte sich vor Pünktchen und Fräulein Andacht postiert und musterte sie frech. Pünktchen streckte dem Portiersjungen zwar die Zunge raus, doch das Kinderfräulein zitterte vor Aufregung. Anton gab dem Klepperbein einen Tritt in den Allerwertesten. Der Junge fuhr wütend herum, als er aber Anton Gast dastehen sah, erinnerte er sich der Ohrfeigen vom Nachmittag und verschwand im Dauerlauf.

»Den wären wir los«, sagte Pünktchen und reichte Anton die Hand.

»Kommt!«, meinte Fräulein Andacht. »Kommt, wir gehen ins Automatenrestaurant. Ich lade Anton ein.«

»Bravo!«, sagte Pünktchen, fasste den Jungen bei der Hand und lief mit ihm voraus. Fräulein Andacht rief das Mädchen zurück. »Willst du mich wohl führen? Was sollen denn die Leute denken, wenn ich trotz meiner Brille drauflosrenne?« Pünktchen fasste also das Kinderfräulein an der Hand und zog sie hinter sich her, die Brücke hinunter, die Friedrichstraße entlang, dem Oranienburger Tor zu. »Wie viel hast du verdient?«, fragte sie.

»Fünfundneunzig Pfennige«, sagte der Junge betrübt. »Ein

Herr gab mir fünfzig Pfennig, sonst könnte ich überhaupt einpacken.«

Pünktchen drückte ihm etwas in die Hand. »Steck ein!«, flüsterte sie geheimnisvoll.

»Was ist los?«, fragte Fräulein Andacht misstrauisch.

»Sie alte Neugierde!«, sagte Pünktchen. »Ich frage Sie doch auch nicht, was das für komische Zeichnungen sind, die Sie machen.«

Da schwieg Fräulein Andacht, als hätte es geblitzt.

Die Straße war ziemlich leer. Das Kinderfräulein nahm die dunkle Brille ab und ließ Pünktchens Hand los. Sie bogen ein paarmal um die Ecke. Dann waren sie am Ziel.

Von der Armut

Vor ungefähr hundertfünfzig Jahren zogen einmal die Ärmsten der Pariser Bevölkerung nach Versailles, wo der französische König und seine Frau wohnten. Es war ein Demonstrationszug, ihr wisst ja, was das ist. Die armen Leute stellten sich vor dem Schloss auf und riefen: »Wir haben kein Brot! Wir haben kein Brot!« *So schlecht ging es ihnen.*

Die Königin Marie Antoinette stand am Fenster und fragte einen hohen Offizier: »Was wollen die Leute?«

»Majestät«, *antwortete der Offizier,* »sie wollen Brot, sie haben zu wenig Brot, sie haben zu großen Hunger.«

Die Königin schüttelte verwundert den Kopf. »Sie haben nicht genug Brot?«, *fragte sie.* »Dann sollen sie doch Kuchen essen!«

Ihr denkt vielleicht, sie sagte das, um sich über die armen Leute lustig zu machen. Nein, sie wusste nicht, was Armut ist! Sie dachte, wenn zufällig nicht genug Brot da ist, isst man eben Kuchen. Sie kannte das Volk nicht, sie kannte die Armut nicht, und ein Jahr später wurde sie geköpft. Das hatte sie davon.

Glaubt ihr nicht auch, dass die Armut leichter abgeschafft werden könnte, wenn die Reichen schon als Kinder wüssten, wie schlimm es ist, arm zu sein? Glaubt ihr nicht, dass sich dann die reichen Kinder sagten: Wenn wir mal groß sind und die Banken und Rittergüter und Fabriken unserer Väter besitzen, dann sollen es die Arbeiter besser haben! Die Arbeiter, das wären ja dann ihre Spielkameraden aus der Kindheit ...

Glaubt ihr, dass das möglich wäre?

Wollt ihr helfen, dass es so wird?

Siebentes Kapitel
Fräulein Andacht hat einen Schwips

In dem Lokal standen und saßen manchmal seltsame Leute, und Pünktchen kam sehr gern her, sie fand es hochinteressant. Manchmal waren sogar Betrunkene da!

Anton gähnte und machte vor Müdigkeit ganz kleine Augen. »Schrecklich«, sagte er, »heute bin ich in der Rechenstunde richtiggehend eingeschlafen. Herr Bremser hat mich angeniest, dass ich fast aus der Bank gefallen wäre. Ich sollte mich schämen, hat er gerufen, und meine Schularbeiten ließen in der letzten Zeit sehr zu wünschen übrig. Und wenn das so weiterginge, würde er meiner Mutter einen Brief schreiben.«

»Ach, du gerechter Strohsack«, meinte Pünktchen. »Das fehlte gerade noch. Weiß er denn nicht, dass deine Mutter krank ist, und dass du kochen und Geld verdienen musst?«

»Woher soll er denn das wissen?«, fragte Anton neugierig.

»Von dir natürlich«, erklärte Pünktchen.

»Lieber beiß ich mir die Zunge ab«, sagte Anton.

Pünktchen verstand das nicht. Sie zuckte die Achseln. Dann

wandte sie sich zu Fräulein Andacht. Die saß in ihrer Ecke und stierte vor sich hin. »Ich denke, Sie haben uns eingeladen?«

Fräulein Andacht zuckte zusammen und kam langsam zu sich. »Was wollt ihr haben?«

»Apfelsinen mit Schlagsahne«, schlug Pünktchen vor, und Anton nickte. Das Fräulein stand auf und ging zum Büfett.

»Wo hast du denn das Geld her, das du mir vorhin zugesteckt hast?«, fragte der Junge.

»Die Andacht gibt das Geld doch nur ihrem Bräutigam. Da habe ich 'n bisschen was unterschlagen. Pscht, keine Widerrede!«, rief sie streng. »Pass auf, sie trinkt bestimmt wieder Schnaps. Sie säuft, die Gute. Du, heute saß sie in ihrem Zimmer und zeichnete mit dem Bleistift Vierecke, und in dem einen stand ›Wohnzimmer‹ und im anderen ›Arbeitszimmer‹, mehr konnte ich nicht sehen.«

»Das war ein Wohnungsplan«, stellte Anton fest.

Pünktchen schlug sich mit der Hand vor die Stirn. »Ich Affe«, sagte sie, »und darauf bin ich nicht gekommen! Aber wozu zeichnet sie Wohnungspläne?« Das wusste Anton auch nicht. Dann kam Fräulein Andacht zurück und brachte den Kindern zerteilte Apfelsinen. Sie selber trank Kognak. »Wir müssen doch mindestens drei Mark verdient haben«, erklärte sie. »Und dabei liegen nur eine Mark achtzig in der Tasche. Verstehst du das?«

»Vielleicht hat die Tasche ein Loch?«, fragte Pünktchen.

Fräulein Andacht sah gleich nach. »Nein«, sagte sie, »die Tasche hat kein Loch.«

»Komisch«, meinte Pünktchen. »Man könnte fast denken, da hat jemand geklaut.« Dann seufzte sie und murmelte: »Das sind Zeiten.«

Fräulein Andacht schwieg, trank ihr Glas leer, stand auf und holte sich noch einen Schnaps. »Erst stehen wir stundenlang auf der Brücke und dann versäuft sie das ganze Einkommen«, schimpfte Pünktchen hinter ihr her.

»Du solltest überhaupt lieber zu Hause bleiben«, erklärte Anton. »Wenn deine Eltern mal dahinterkommen, gibt's großen Krach.«

»Von mir aus«, sagte Pünktchen. »Habe ich mir vielleicht das Kinderfräulein ausgesucht?«

Anton nahm eine Papierserviette, die auf dem Nebentisch lag, drehte eine kleine Tüte und legte sechs Apfelsinenschnitten hinein. Dann schloss er die Tüte in sein Handköfferchen. Und wie ihn Pünktchen fragend anschaute, sagte er verlegen: »Bloß für meine Mutter.«

»Da fällt mir noch etwas ein«, rief sie und kramte in ihrer kleinen Tasche. »Hier!« Sie hielt etwas in der Hand.

Er beugte sich darüber. »Ein Zahn«, bemerkte er. »Ist er denn raus?«

»So eine dämliche Frage«, sagte sie beleidigt. »Willst du ihn haben?«

Der Junge hatte kein rechtes Verständnis für Zähne und so steckte sie ihn wieder ein. Dann kam Fräulein Andacht, hatte einen mittelgroßen Schwips und trieb zum Aufbruch. Sie gingen gemeinsam bis zur Weidendammer Brücke und verabschiedeten sich dort.

»Bremser heißt dein Klassenlehrer?«, fragte Pünktchen.

Anton nickte.

»Morgen Nachmittag besuch ich dich wieder«, versprach sie. Er schüttelte ihr erfreut die Hand, machte vor Fräulein Andacht eine Verbeugung und rannte auf und davon.

Pünktchen und Fräulein Andacht gelangten ohne Zwischenfälle in die Wohnung. Die Eltern waren noch immer beim Generalkonsul Ohlerich. Das Kind legte sich ins Bett und schlief auf der Stelle ein. Piefke knurrte leise, weil er geweckt worden war. Das Kinderfräulein ging in ihr Zimmer, schloss die Bettelkleider in die Kommode, und dann begab auch sie sich zur Ruhe.

Anton konnte noch nicht ins Bett. Er schlich, am Zimmer seiner Mutter vorbei, durch den Korridor, machte in der Küche Licht, versteckte sein Handköfferchen, setzte sich an den Tisch, stützte den Kopf in die Hände und gähnte, dass er sich fast die

Kiefer ausgerenkt hätte. Dann zog er ein blaues Oktavheft und einen Bleistift aus der Tasche und schlug das Heft auf. »Ausgaben« stand auf der einen Seite, »Einnahmen« stand auf der anderen. Er griff in die Hosentasche, legte ein Häufchen Münzen auf den Tisch und zählte eifrig. Zwei Mark fünfzehn waren es. Wenn Pünktchen und der nette Herr nicht gewesen wären, hätte ich jetzt fünfundvierzig Pfennige, dachte er und trug die Abendeinnahme ins Heft ein.

Mit dem Überschuss, den er heimlich im Tuschkasten aufbewahrte, hatte er fünf Mark und sechzig Pfennige, und fünf Mark wollte der Wirt allein für Miete haben! Demnach blieben sechzig Pfennig fürs Essen. Er blickte in die kleine Speisekammer. Kartoffeln waren noch da. Auf dem Schneidebrett lag eine Speckschwarte. Wenn er morgen den Tiegel mit der Schwarte einrieb, kamen vielleicht Bratkartoffeln zustande. Aber aus dem Viertelpfund Leberwurst wurde wieder nichts. Und er hatte so riesigen Appetit auf Leberwurst! Er zog die Schuhe aus, legte die Apfelsinenscheiben auf einen Teller, machte dunkel und schlich aus der Küche. An der Tür zum Schlafzimmer blieb er stehen und presste das Ohr ans Holz. Die Mutter schlief. Er hörte ihre ruhigen Atemzüge, manchmal schnarchte sie sogar ein bisschen. Anton streichelte die Tür und lächelte, weil die Mutter gerade wieder aufschnarchte. Dann schlich er in die Wohnstube. Er zog sich im Finstern aus, hängte den Anzug über den Stuhl, legte das Geld in den Tuschkasten, kroch aufs Sofa und deckte sich zu.

Hatte er die Korridortür abgeschlossen? War der Gashahn zugedreht? Anton warf sich unruhig hin und her, dann stand er noch einmal auf und sah nach, ob alles in Ordnung war.

Es war alles in Ordnung. Er legte sich wieder hin. Die Rechenaufgaben hatte er gemacht. Aufs Diktat vorbereitet hatte er sich auch. Hoffentlich schrieb Herr Bremser der Mutter keinen Brief. Denn dann kam es heraus, dass er abends auf der Weidendammer Brücke stand und Schnürsenkel verkaufte. Hatte er noch genug Schnürsenkel? Die braunen würden nicht mehr lange reichen. Man trug anscheinend mehr braune Schuhe als schwarze. Oder gingen braune Schnürsenkel schneller entzwei?

Anton legte sich auf seine Schlafseite. Hoffentlich wurde die Mutter wieder ganz gesund. Dann schlief er endlich ein.

Die siebente Nachdenkerei handelt:

Vom Ernst des Lebens

Neulich war ich in Rostock auf dem Jahrmarkt. Die Straßen, die sich schräg zur Warnow hinabsenken, standen voller Buden, und unten am Ufer drehten sich Karussells. Ich wurde, weil alles so schön laut war, sehr fidel, stellte mich an eine Zuckerwarenbude und verlangte für zehn Pfennige türkischen Honig. Er schmeckte großartig.

Da kam ein Junge mit seiner Mutter vorüber, zog die Frau am Ärmel und sagte: »Noch einen Pfefferkuchen!« Dabei trug er schon fünf Pfefferkuchenpakete unterm Arm. Die Mutter stellte sich taub. Da blieb er stehen, stampfte mit dem Fuß auf und krähte: »Noch einen Pfefferkuchen!«

»Du hast doch schon fünf Pakete«, erklärte die Mutter. »Denk nur, die armen Kinder kriegen überhaupt keinen Pfefferkuchen!«

Wisst ihr, was der Junge antwortete?

Er schrie ärgerlich: »Was gehen mich denn die armen Kinder an?« Ich erschrak so, dass ich fast meinen türkischen Honig samt dem Papier auf einmal verschluckt hätte. Kinder, Kinder! Hält man das für möglich?

Da hat so ein Junge das unverdiente Glück, wohlhabende Eltern zu bekommen, und dann stellt er sich hin und schreit: »Was gehen mich die armen Kinder an!« Anstatt von seinen fünf Paketen Pfefferkuchen armen Kindern zwei zu schenken und sich zu freuen, dass er denen eine kleine Freude machen kann!

Das Leben ist ernst und schwer. Und wenn die Menschen, denen es gut geht, den anderen, denen es schlecht geht, nicht aus freien Stücken helfen wollen, wird es noch mal ein schlimmes Ende nehmen.

Achtes Kapitel

Herrn ßremser
geht ein Licht auf

Freitags kam Pünktchen eine Stunde früher als sonst aus der Schule. Direktor Pogge wusste das und schickte den Schofför mit dem Auto hin, dass er das Mädchen mit dem Wagen heimführe. Um diese Zeit brauchte er das Auto noch nicht und Pünktchen fuhr so gern im Auto.

Der Schofför legte die Hand an die Mütze, als sie aus dem Portal der Schule trat, und öffnete den Schlag. Sie lief auf ihn zu und gab ihm begeistert die Hand. »Tag, Herr Hollack«, sagte sie. Die andern kleinen Mädchen freuten sich schon. Denn wenn Pünktchen Pogge mit dem Wagen abgeholt wurde, durften stets so viele mitfahren, wie hineingingen. Heute aber drehte sich Pünktchen auf dem Trittbrett herum, blickte alle betrübt an und sagte: »Kinders, nehmt mir's nicht übel, ich fahre allein.« Da standen nun die andern vorm Auto wie die begossenen Pudel. »Ich habe etwas Wichtiges vor«, erklärte Pünktchen. »Und da wärt ihr mir nur im Wege.« Dann setzte sie sich ganz allein in das große Auto, nannte dem Schofför eine Adresse, er stieg auch ein, fort ging's, und zwanzig kleine Mädchen blickten traurig hinter dem schönen Auto her.

Nach ein paar Minuten hielt der Wagen vor einem großen Gebäude und das war schon wieder eine Schule!

»Lieber Herr Hollack«, sagte Pünktchen, »einen kleinen Moment, wenn ich bitten dürfte.« Herr Hollack nickte und Pünktchen lief rasch die Stufen hinan. Es war noch Pause. Sie kletterte in die erste Etage und fragte einen Jungen, wo das Lehrerzimmer sei. Er führte sie hin. Sie klopfte. Weil niemand öffnete, klopfte sie noch einmal, und zwar ziemlich heftig.

Da ging die Tür auf. Ein großer, junger Herr stand vor ihr und kaute eine Stulle.

»Schmeckt's?«, fragte Pünktchen.

Er lachte. »Und was willst du noch wissen?«

»Ich beabsichtige, Herrn Bremser zu sprechen«, erklärte sie. »Mein Name ist Pogge.«

Der Lehrer kaute hinter und sagte dann: »Na, da komm mal rein.« Sie folgte ihm und sie kamen in ein großes Zimmer mit vielen Stühlen. Auf jedem der vielen Stühle saß ein Lehrer und Pünktchen kriegte bei diesem schauerlich schönen Anblick Herzklopfen. Ihr Begleiter führte sie ans Fenster, dort lehnte ein alter, dicker Lehrer mit einer uferlosen Glatze. »Bremser«, sagte Pünktchens Begleiter, »darf ich dir Fräulein Pogge vorstellen? Sie will dich sprechen.«

Dann ließ er die beiden allein.

»Du willst mich sprechen?«, fragte Herr Bremser.

»Jawohl«, sagte sie. »Sie kennen doch den Anton Gast?«

»Er geht in meine Klasse«, erklärte Herr Bremser und guckte aus dem Fenster.

»Eben, eben«, meinte Pünktchen befriedigt. »Ich sehe schon, wir verstehen uns.«

Herr Bremser wurde langsam neugierig. »Also, was ist mit dem Anton?«

»In der Rechenstunde eingeschlafen ist er«, erzählte Pünktchen. »Und seine Schularbeiten gefallen Ihnen leider auch nicht mehr.«

Herr Bremser nickte und meinte: »Stimmt.« Inzwischen waren noch ein paar andere Lehrer hinzugetreten, sie wollten hören, was es gebe.

»Entschuldigen Sie, meine Herren«, sagte Pünktchen, »wollen Sie sich bitte wieder auf Ihre Plätze begeben? Ich muss mit Herrn Bremser unter vier Augen sprechen.« Die Lehrer lachten und setzten sich wieder auf ihre Stühle. Aber sie sprachen fast gar nicht mehr und spitzten die Ohren.

»Ich bin Antons Freundin«, sagte Pünktchen. »Er hat mir erzählt, Sie wollten, wenn das so weiterginge, seiner Mutter einen Brief schreiben.«

»Stimmt. Heute hat er sogar während der Geografiestunde

ein Oktavheft aus der Tasche gezogen und darin gerechnet. Der Brief an seine Mutter geht heute noch ab.«

Pünktchen hätte gern einmal probiert, ob man sich in der Glatze von Herrn Bremser spiegeln konnte, aber sie hatte jetzt keine Zeit. »Nun hören Sie mal gut zu«, sagte sie. »Antons Mutter ist sehr krank. Sie war im Krankenhaus, dort hat man ihr eine Pflanze herausgeschnitten, nein, ein Gewächs, und nun liegt sie seit Wochen zu Haus im Bett und kann nicht arbeiten.«

»Das wusste ich nicht«, sagte Herr Bremser.

»Nun liegt sie also im Bett und kann nicht kochen. Aber jemand muss doch kochen! Und wissen Sie, wer kocht? Anton kocht. Ich kann Ihnen sagen, Salzkartoffeln, Rührei und solche Sachen, einfach großartig!«

»Das wusste ich nicht«, antwortete Herr Bremser.

»Sie kann auch seit Wochen kein Geld verdienen. Aber jemand muss doch Geld verdienen. Und wissen Sie, wer das Geld verdient? Anton verdient das Geld. Das wussten Sie nicht, natürlich.« Pünktchen wurde ärgerlich. »Was wissen Sie denn eigentlich?«

Die anderen Lehrer lachten. Herr Bremser wurde rot, über die ganze Glatze weg.

»Und wie verdient er denn das Geld?«, fragte er.

»Das verrate ich nicht«, meinte Pünktchen. »Ich kann Ihnen nur so viel sagen, dass sich der arme Junge Tag und Nacht ab-

Herr Bremser wurde langsam neugierig

rackert. Er hat seine Mutter gern, und da schuftet er und kocht und verdient Geld und bezahlt das Essen und bezahlt die Miete, und wenn er sich die Haare schneiden lässt, bezahlt er's ratenweise. Und es wundert mich überhaupt, dass er nicht während Ihres ganzen Unterrichts schläft.« Herr Bremser stand still. Die anderen Lehrer lauschten. Pünktchen war in voller Fahrt. »Und da setzen Sie sich hin und schreiben seiner Mutter einen Brief, dass er faul wäre, der Junge! Da hört sich doch Verschiedenes auf. Die arme Frau wird gleich wieder krank vor Schreck, wenn Sie den Brief schicken. Vielleicht kriegt sie Ihretwegen noch ein paar Gewächse und muss wieder ins Krankenhaus! Dann wird der Junge aber auch krank, das versprech ich Ihnen! Lange hält er dieses Leben nicht mehr aus.«

Herr Bremser sagte: »Schimpf nur nicht so sehr. Warum hat er mir denn das nicht erzählt?«

»Da haben Sie recht«, meinte Pünktchen. »Ich habe ihn ja auch gefragt, und wissen Sie, was er gesagt hat?«

»Na?«, fragte der Lehrer. Und seine Kollegen waren wieder von den Stühlen aufgestanden und bildeten um das kleine Mädchen einen Halbkreis.

»Lieber beiß ich mir die Zunge ab, hat er gesagt«, berichtete Pünktchen. »Wahrscheinlich ist er sehr stolz.«

Herr Bremser stieg von seinem Fensterbrett herunter. »Also gut«, sagte er, »ich werde den Brief nicht schreiben.«

»Das ist recht«, sagte Pünktchen. »Sie sind ein netter Mensch. Ich dachte mir's gleich und vielen Dank.«

Der Lehrer brachte sie zur Tür. »Ich danke dir auch, mein Kind.«

»Und noch eins«, sagte Pünktchen. »Ehe ich's vergesse. Erzählen Sie dem Anton ja nicht, dass ich Sie besucht habe.«

»Keine Silbe«, meinte Herr Bremser und streichelte ihr die Hand. Da klingelte es. Der Unterricht begann wieder. Pünktchen sauste die Treppe hinunter, stieg zu Herrn Hollack ins Auto und fuhr nach Hause. Während der ganzen Fahrt wippte sie auf dem Sitzpolster und sang vor sich hin.

Von der Freundschaft

Ob ihr mir's nun glaubt oder nicht: Ich beneide Pünktchen. Nicht oft hat man eine solche Gelegenheit wie sie hier, dem Freund nützlich zu sein. Und wie selten kann man seinen Freundschaftsdienst so heimlich tun! Herr Bremser wird keinen Brief an Antons Mutter schreiben. Er wird den Jungen nicht mehr herunterputzen. Anton wird erst staunen, dann wird er sich freuen, und Pünktchen wird sich heimlich die Hände reiben. Sie weiß ja, wie es dazu kam. Ohne sie wäre es schiefgegangen.

Aber Anton erfährt es nicht. Pünktchen braucht keinen Dank. Die Tat selber ist der Lohn. Alles andere würde die Freude eher verkleinern als vergrößern.

Ich wünsche jedem von euch einen guten Freund. Und ich wünsche jedem von euch die Gelegenheit zu Freundschaftsdiensten, die er jenem ohne sein Wissen erweist. Haltet euch dazu, zu erfahren, wie glücklich es macht, glücklich zu machen!

Neuntes Kapitel

Frau Gast erlebt
eine Enttäuschung

Als Anton im Schulranzen den Wohnungsschlüssel suchte, um aufzuschließen, öffnete sich die Tür ganz von selber, und seine Mutter stand vor ihm. »Mahlzeit, mein Junge«, sagte sie und lächelte.

»Mahlzeit«, antwortete er perplex. Dann riskierte er einen Freudensprung, umarmte sie und sagte: »Ich bin so froh, dass du wieder gesund bist.« Sie gingen ins Wohnzimmer, Anton setzte sich aufs Sofa und bestaunte jeden Schritt, den die Mutter machte. »Es strengt noch ein bisschen an«, erklärte sie und setzte sich müde neben ihn. »Wie war's in der Schule?«

»Naumanns Richard hat in Erdkunde gesagt, in Indien wohnten die Indianer. Herrschaften, ist das ein blödes Kind. Und der Schmitz hat den Pramann gezwickt, und da ist der Pramann raus aus der Bank, und Herr Bremser hat gefragt, was es gibt. Und der Pramann hat gemeint, er müsse einen Floh haben, vielleicht sogar zwei. Und da ist der Schmitz aufgesprungen und hat gerufen, neben Jungens, die Flöhe hätten, dürfe er nicht sitzen. Seine Eltern erlaubten das nicht. Wir haben uns schief-gelacht.« Anton lachte, wie ein Wiederkäuer, gleich noch mal. Dann fragte er: »Magst du heute keinen Spaß?«

»Erzähl nur ruhig weiter«, sagte sie.

Er legte den Kopf auf die Sofalehne und streckte die Beine aus. »Herr Bremser war in der letzten Stunde sehr freundlich zu mir, und ich soll ihn mal besuchen, wenn ich Zeit habe.« Plötz-lich zuckte er zusammen: »Ich Dussel!«, rief er. »Ich muss doch kochen!« Die Mutter hielt ihn zurück und zeigte auf den Tisch. Da standen schon Teller und eine große, dampfende Schüssel. »Linsen mit Würstchen?«, fragte er. Sie nickte, dann setzten sie sich und aßen. Anton langte tüchtig zu. Als er den Teller kahl gegessen hatte, gab ihm die Mutter mehr. Er nickte ihr begeis-tert zu. Dabei sah er, dass ihre Portion noch unberührt war. Nun schmeckte es ihm auch nicht mehr. Er stocherte traurig in der Linsensuppe und fischte Wurststückchen. Die Schweigsam-keit senkte sich wie ein drohender Nebel aufs Zimmer.

Schließlich hielt er das nicht mehr aus. »Muttchen, habe ich nicht gefolgt? Manchmal weiß man das selber nicht … Oder ist es wegen des Geldes? Die Würstchen waren eigentlich gar nicht nötig.« Er legte seine Hand zärtlich auf ihre.

Doch die Mutter trug rasch das Geschirr in die Küche. Dann kam sie zurück und sagte: »Fang immer mit Schularbeiten an. Ich komme gleich wieder.« Er saß auf seinem Stuhl und schüttelte den Kopf. Was hatte er denn angestellt. Draußen schlug die Korridortür. Er öffnete das Fenster, setzte sich aufs Fensterbrett und beugte sich weit hinaus. Es dauerte ziemlich lange, bis die Mutter unten aus dem Haus trat. Sie machte kleine Schritte. Das Laufen strengte sie an. Sie ging die Artilleriestraße hinunter, dann bog sie um die Ecke.

Er setzte sich trübselig an den Tisch, holte den Ranzen und die Tinte und begann, am Federhalter zu kauen.

Endlich kam die Mutter wieder. Sie hatte einen kleinen Blumenstrauß besorgt, holte Wasser, stellte die Blumen in die blau getupfte Vase, zupfte an den Blättern, schloss das Fenster, blieb davor stehen, wandte Anton den Rücken und schwieg.

»Schöne Blumen«, sagte er, hielt die Hände gefaltet und konnte kaum atmen. »Himmelschlüssel, wie?«

Die Mutter stand im Zimmer, als sei sie fremd. Sie sah zum Fenster hinaus und zuckte mit den Schultern. Am liebsten wäre er zu ihr hingelaufen. Aber er stand nur halb vom Stuhl auf und bat: »Sag doch ein Wort!« Seine Stimme klang heiser und wahrscheinlich hatte sie ihn gar nicht gehört.

Und dann fragte sie, ohne sich umzuwenden: »Den Wievielten haben wir heute?«

Er wunderte sich zwar, lief aber, um sie nicht noch mehr zu ärgern, zum Wandkalender hinüber und las laut: »Den 9. April.«

»Den 9. April«, wiederholte sie und presste ihr Taschentuch vor den Mund.

Und plötzlich wusste er, was geschehen war! Die Mutter hatte heute Geburtstag. Und er hatte ihn vergessen!

Er fiel auf seinen Stuhl zurück und zitterte. Er schloss die Augen und wünschte nichts sehnlicher, als auf der Stelle tot zu sein … Deswegen war sie also heute aufgestanden. Und deswegen hatte sie Linsen mit Würstchen gekocht. Selber hatte sie sich einen Blumenstrauß kaufen müssen! Nun stand sie am Fenster und war von aller Welt verlassen. Und er durfte nicht einmal hingehen und sie streicheln. Denn das konnte sie ihm nicht verzeihen. Wenn er wenigstens gewusst hätte, wie man ganz schnell krank wird. Dann wäre sie natürlich an sein Bett gekommen und wieder gut gewesen. Er stand auf und ging zur Tür. Dort drehte er sich noch einmal um und fragte bittend: »Hast du gerufen, Mama?«

Aber sie lehnte still und unbeweglich am Fenster. Da ging er hinaus, hinüber in die Küche, setzte sich neben den Herd und wartete, dass er weinte. Aber es kamen keine Tränen. Nur manchmal schüttelte es ihn, als hielte ihn wer am Kragen.

Dann suchte er den Tuschkasten hervor und nahm eine Mark heraus. Das hatte ja nun alles keinen Sinn mehr. Er steckte die Mark in die Tasche. Ob er vielleicht doch noch hinunterlief und etwas holte? Er konnte es ja nachher durch den Briefkasten werfen und fortlaufen. Und nie mehr wiederkommen! Schokolade ließ sich leicht durch den Briefkastenspalt schieben und eine Gratulationskarte dazu. »Von Deinem tiefunglücklichen Sohn Anton«, würde er darunterschreiben. So würde ihm die Mutter wenigstens ein gutes Andenken bewahren können.

Auf den Zehenspitzen schlich er aus der Küche, durch den Korridor, klinkte die Korridortür behutsam auf, trat hinaus und schloss die Tür wie ein Dieb.

Die Mutter stand noch lange am Fenster und sah durch die Scheiben, als liege dort draußen ihr armseliges, trübes Leben ausgebreitet. Nichts als Kummer hatte sie gehabt, nichts als Krankheit und Sorgen. Dass ihr Junge den Geburtstag vergessen hatte, schien ihr von heimlicher Bedeutung. Auch er ging ihr allmählich verloren wie alles vorher und so verlor ihr Leben den letzten Sinn. Als sie operiert worden war, hatte sie gedacht: Ich muss leben bleiben, was soll aus Anton werden, wenn ich jetzt sterbe? Und nun vergaß er ihren Geburtstag!

Endlich regte sich Mitleid mit dem kleinen Kerl. Wo mochte er stecken? Er hatte seine Vergesslichkeit längst bereut. »Hast du gerufen, Mama?«, hatte er noch gefragt, bevor er mutlos das Zimmer verließ. Sie durfte nicht hart sein. Er war so erschrocken gewesen. Sie durfte nicht streng sein, er hatte in den letzten Wochen ihretwegen viel ausgestanden. Erst hatte er sie jeden Tag im Krankenhaus besucht. In der Volksküche hatte er essen müssen, und Tag und Nacht war er mutterseelenallein in der Wohnung gewesen. Dann war sie nach Haus gebracht worden. Seit vierzehn Tagen lag sie im Bett, und er kochte und holte ein, und ein paarmal hatte er sogar die Zimmer mit einem nassen Lappen aufgewischt.

Sie begann ihn zu suchen. Sie trat ins Schlafzimmer. Sie ging in die Küche. Sie sah sogar in der Toilette nach. Sie machte im Korridor Licht und schaute hinter die Schränke. »Anton!«, rief sie. »Komm, mein Junge, ich bin wieder gut! Anton!«

Sie rief bald laut und bald leise und zärtlich. Er war nicht in der Wohnung. Er war fortgelaufen! Sie wurde sehr unruhig. Sie rief bittend seinen Namen. Er war fort.

Er war fort! Da riss sie die Wohnungstür auf und rannte die Treppe hinunter, ihren Jungen suchen.

Die neunte Nachdenkerei handelt:

Von der Selbstbeherrschung

Mögt ihr den Anton gut leiden? Ich hab ihn sehr gern. Aber einfach davonlaufen und die Mutter sitzen lassen, das gefällt mir, offen gestanden, nicht besonders. Wo kämen wir hin, wenn jeder, der etwas falsch gemacht hat, davonrennen wollte? Das ist gar nicht auszudenken. Man darf nicht den Kopf verlieren, man muss ihn hinhalten!

Mit anderen Sachen ist es auch so. Da hat ein Junge schlechte Zensuren gekriegt, oder der Lehrer hat den Eltern einen Brief geschrieben, oder ein Kind hat zu Hause aus Versehen eine teure Vase entzweigeschlagen, und wie oft liest man dann: »Aus Angst vor Strafe geflohen. Nirgends auffindbar. Die Eltern befürchten das Schlimmste.«

Nein, Herrschaften, so geht das nicht! Wenn man etwas angestellt hat, muss man sich zusammennehmen und Rede stehen. Wenn man so große Angst vor Strafe hat, sollte man sich das gefälligst vorher überlegen.

Selbstbeherrschung ist eine wichtige, wertvolle Eigenschaft. Und was an ihr besonders bemerkenswert ist: Selbstbeherrschung ist erlernbar. Alexander der Große zählte, um sich nicht zu unüberlegten Taten hinreißen zu lassen, jedes Mal erst bis dreißig. Also, das ist ein wunderbares Rezept. Befolgt es, wenn es nötig sein sollte!

Noch besser ist es, ihr zählt bis sechzig.

Zehntes Kapitel

Es konnte auch schiefgehen

Guten Tag, Frau Gast«, sagte jemand, als sie aus dem Haus trat. »Sie sehen ja glänzend aus.« Es war Pünktchen mit Piefke und eigentlich fand das Kind Antons Mutter schrecklich blass und aufgeregt. Aber der Junge hatte sie ja gebeten, das Aussehen seiner Mutter vortrefflich zu finden. Und sie war ein Mädchen, das Wort hielt, oho! Fräulein Andacht war mit ihrem Herrn Bräutigam bei Sommerlatte und hatte sie Punkt sechs Uhr zum Abholen bestellt.

Frau Gast blickte verstört um sich und gab Pünktchen die Hand, ohne ein Wort zu sprechen.

»Wo ist denn Anton?«, fragte das Kind.

»Fort!«, flüsterte Frau Gast. »Denk dir, er ist davongelaufen. Ich war böse, weil er meinen Geburtstag vergessen hatte.«

»Da gratuliere ich von Herzen«, sagte Pünktchen. »Ich meine, weil Sie Geburtstag haben.«

»Ich danke dir«, erwiderte die Frau. »Wo kann er nur sein?«

»Nun verlieren Sie mal nicht den Kopf«, tröstete Pünktchen. »Den Jungen kriegen wir wieder. Unkraut verdirbt nicht. Was halten Sie davon, wenn wir in die Geschäfte gehen und uns überall erkundigen?« Weil die Frau nichts zu hören schien und nur immer den Kopf nach allen Seiten drehte, nahm Pünktchen Antons Mutter bei der Hand und zog sie zu dem Milchgeschäft im Nebenhaus. Ihren Dackel setzte sie auf die Straße und sagte: »Guter Hund, such den Anton!« Aber Piefke verstand wieder mal kein Deutsch.

Inzwischen kaufte Anton Schokolade.

Die Verkäuferin war eine alte Dame mit einem riesigen Kropf. Sie sah ihn misstrauisch an, als er mit todtrauriger Miene eine Tafel von der besten Milchschokolade verlangte.

»Es ist für einen Geburtstag«, sagte er niedergeschlagen.

Da wurde sie etwas freundlicher, wickelte die Schokolade schön geschenkmäßig in Seidenpapier und band ein blassblaues Seidenband drum. »Danke verbindlichst«, sagte er ernst, steckte die Tafel vorsichtig in die Tasche und zahlte. Sie gab ihm Geld heraus und nun ging er in ein Schreibwarengeschäft.

In dem Schreibwarengeschäft suchte er sich aus dem Geburtstagsalbum eine Gratulationskarte aus. Die Karte, die er wählte, war wundervoll. Einen dicken, fidel schmunzelnden

Dienstmann sah man darauf und der Dienstmann hielt in jedem Arm einen großen Blumentopf. Zu seinen Füßen stand in goldnen Buchstaben: »Die herzlichsten Glück- und Segenswünsche zum Wiegenfeste.«

Anton betrachtete das schöne Bild wehmütig. Dann stellte er sich hinter das Schreibpult und malte mit mühevoller Schönschrift auf die Rückseite: »Von Deinem tiefunglücklichen Sohne Anton. Und nimm es mir nicht übel, liebe Mama, es war nicht böse gemeint.« Dann klemmte er die Karte unter die blaue Schleife, die das Schokoladenpäckchen zierte, und lief schnell auf die Straße. Jetzt überkam ihn große Rührung, seines traurigen Schicksals wegen. Er fürchtete sich vor Tränen, schluckte tapfer und ging mit gesenktem Kopf weiter.

Im Haus überfiel ihn heftige Angst. Wie ein Indianer auf dem Kriegspfad schlich er sich zum vierten Stock hinauf. Er stieg auf den Zehenspitzen bis zur Tür. Er öffnete die Klappe des Briefkastens und warf sein Geschenk hindurch. Das machte Lärm und er bekam Herzklopfen.

Doch in der Wohnung rührte sich nichts.

Eigentlich hätte er ja nun fortlaufen und irgendwo ganz rasch sterben müssen. Aber er brachte das nicht ohne Weiteres fertig, sondern drückte zaghaft auf die Klingel. Dann rannte er bis zum nächsten Treppenabsatz hinunter. Dort wartete er atemlos. In der Wohnung rührte sich nichts.

Da wagte er sich noch einmal bis vor die Tür. Und wieder klingelte er. Und wieder rannte er die Stufen hinunter.

Und wieder war nichts zu hören! Was war denn mit seiner Mutter los? War ihr etwas zugestoßen? War sie wieder krank geworden, weil sie sich so sehr über ihn hatte ärgern müssen? Lag sie im Bett und konnte sich nicht rühren? Er hatte die Schlüssel nicht eingesteckt. Vielleicht hatte sie den Gashahn aufgedreht, um sich vor Kummer zu vergiften? Er stürzte zur Tür hinauf und schlug an den Briefkasten, dass es laut klapperte. Er hieb mit beiden Fäusten gegen die Türfüllung. Er rief durchs Schlüsselloch: »Mama! Mama! Ich bin's! Mach mir doch auf!«

In der Wohnung regte sich nichts.

Da sank er schluchzend auf der Strohdecke in die Knie. Nun war alles aus.

Antons Mutter und Pünktchen hatten in allen Geschäften, wo man Anton kannte, gefragt. Der Milchmann, der Bäcker, der Fleischer, der Grünwarenhändler, der Schuster, der Installateur, keiner wusste etwas.

Pünktchen lief zu dem Schutzmann, der an der Verkehrskreuzung stand, und fragte den. Aber der Schutzmann schüttelte bloß den Kopf und fuhr fort, mit beiden Armen den Fahrzeugen zu winken. Piefke ärgerte sich über das Winken und quiekte. Frau Gast wartete inzwischen auf dem Fußsteig und blickte mit ängstlichen, eilig irrenden Augen um sich. »Nichts«, sagte Pünktchen. »Wissen Sie was? Das Beste wird sein, wir gehen nach Hause.«

Aber Frau Gast rührte sich nicht.

»Vielleicht ist er im Keller«, sagte das Kind.

»Im Keller?«, fragte Antons Mutter.

»Ja, oder auf dem Boden«, schlug Pünktchen vor.

Und sie liefen, so rasch sie konnten, über die Straße und ins Haus. Gerade, als Frau Gast die Kellertür aufschließen wollte, hörten sie, dass oben jemand weinte.

»Das ist er!«, rief Pünktchen.

Antons Mutter lachte und weinte in einem Atem und lief die Treppe so schnell hinauf, dass Pünktchen kaum mitkommen konnte. »Anton!«, rief die Mutter.

Und von oben klang es: »Mama! Mama!« Und dann begann von oben und unten her ein großes Wettrennen. Pünktchen blieb in der ersten Etage stehen. Sie wollte nicht stören und hielt Piefke die Schnauze zu.

Auf halbem Wege trafen sich Mutter und Sohn und fielen einander in die Arme. Sie streichelten sich unermüdlich, als ob sie nicht glauben wollten, dass sie sich wiederhatten. Sie saßen auf den Stufen, hielten sich bei den Händen und lächelten. Sie waren sehr müde und wussten nichts weiter, als dass sie froh waren. Endlich sagte die Mutter: »Komm, mein Junge. Wir können doch nicht immer hier sitzen bleiben. Wenn uns jemand sähe.«

»Ja, das geht nicht. Die würden uns nicht verstehen«, erklärte er. Nun kletterten sie gemeinsam, Hand in Hand, treppauf. Als die Mutter die Tür aufgeschlossen hatte und mit ihm in der Wohnstube war, flüsterte er ihr ins Ohr: »Guck mal in den Briefkasten.«

Sie tat es, klatschte in die Hände und rief: »Ei, es war schon ein Gratulant da!«

»So?«, fragte er, sprang ihr an den Hals und wünschte ihr furchtbar viel Glück und alles, alles Gute. Die Rückseite der schönen Gratulationskarte las sie dann heimlich beim Kaffeekochen. Sie weinte ein bisschen. Aber das Weinen machte ihr jetzt geradezu Vergnügen.

Dann klingelte es. Frau Gast öffnete. »Ach, dich habe ich ja ganz vergessen!«

»Nochmals meinen herzlichsten Glückwunsch zum Geburtstag«, sagte Pünktchen. »Darf man näher treten?« Dann kam Anton und begrüßte sie und den Dackel. »Weiße Haare kann man deinetwegen kriegen!«, sagte sie vorwurfsvoll. »Wir haben dich gesucht wie eine Stecknadel.« Sie versetzte ihm einen Nasenstüber. Dann kam seine Mutter mit der Kaffeekanne und sie tranken zu dritt Geburtstagskaffee. Kuchen gab es zwar nicht, aber sie waren trotzdem alle drei sehr zufrieden. Und Piefke bellte dem Geburtstagskind ein Ständchen.

Nach dem Kaffeeklatsch sagte die Mutter: »So, nun geht nur wieder ein bisschen spazieren. Ich leg mich ins Bett. Das war heute ein bisschen viel für den ersten Tag. Ich werde sehr schön schlafen.«

Auf der Treppe sagte Anton zu Pünktchen: »An den Tag werde ich denken.«

Die zehnte Nachdenkerei handelt:

Vom Familienglück

Erwachsene haben ihre Sorgen. Kinder haben ihre Sorgen. Und manchmal sind die Sorgen größer als die Kinder und die Erwachsenen, und dann werfen die Sorgen, weil sie so groß und breit sind, sehr viel Schatten. Und da sitzen dann die Eltern und die Kinder in diesem Schatten und frieren. Und wenn das Kind zum Vater kommt und etwas fragt, knurrt der: »Lass mich in Ruhe! Ich habe den Kopf voll!« Puh, und dann verkriecht sich das Kind und der Vater versteckt sich hinter der Zeitung. Und wenn die Mutter ins Zimmer tritt und fragt: »Was hat's denn gegeben?«, sagen beide: »Och, nichts weiter«, und dann ist es mit dem Familienglück Essig. Und manchmal zanken sich die Eltern, oder sie sind, wie Pünktchens Eltern, nie zu Hause, und die Kinder sind fremden Leuten ausgeliefert, zum Beispiel irgendeinem Fräulein Andacht. Oder sonst wem, und dann …

Beim Schreiben fällt mir plötzlich auf, dass diese Nachdenkerei eigentlich von den Erwachsenen gelesen werden müsste. Also, wenn's mal wieder zu Hause qualmt, dann schlagt die Seite hier auf und gebt sie euren Eltern zum Lesen. Ja? Schaden wird es nichts.

Elftes Kapitel

Herr Pogge übt sich
im Spionieren

Als Herr Direktor Pogge gegen Abend nach Hause kam, fing ihn Gottfried Klepperbein vor der Tür ab. »Sie sind hinten dreckig, Herr Direktor«, sagte er. »Moment mal.« Pünktchens Vater blieb stehen, und der Portiersjunge klopfte ihm den Mantel sauber, obwohl der gar nicht schmutzig war. Das war ein bewährter Trick von dem Jungen und er hatte schon eine Stange Geld damit verdient. »So«, sagte er und hielt die Hand hin. Herr Pogge gab ihm einen Groschen und wollte ins Haus. Aber Gottfried Klepperbein vertrat ihm die Tür. »Ich könnte da Herr Direktor einen Tipp geben, der seine zehn Mark wert ist«, meinte er.

Herr Direktor Pogge sagte: »Lass mich vorbei.«

»Das Fräulein Tochter betreffend«, flüsterte Gottfried Klepperbein und zwinkerte.

»Also, was ist los?«

»Zehn Märker, sonst kein Wort«, erklärte der Junge und hielt wieder die Hand hin.

»Ich bezahle nur nach Lieferung der Ware«, sagte Pünktchens Vater.

»Auf Tod?«, fragte der Junge.

»Was? Ach so. Also schön: auf Tod!«

»Gehen Sie heute Abend wieder fort?«

»Wir gehen in die Oper«, sagte Herr Pogge.

»Dann tun Sie mal nur so, als ob Sie ins Theater gingen«, riet Gottfried Klepperbein. »Und dann stellen Sie sich vorm Hause auf, und wenn Sie eine Viertelstunde später nicht Ihr blaues Wunder erleben, will ich Matz heißen.«

»Geht in Ordnung«, sagte Herr Pogge, schob den Jungen zur Seite und trat ins Haus.

Bevor die Eltern ins Theater gingen, besuchten sie, wie üblich, Pünktchens Kinderzimmer. Pünktchen lag im Bett und Fräulein Andacht las das Märchen von Aladin und der Wunderlampe vor.

Die Mutter schüttelte den Kopf: »So ein großes Mädchen lässt sich noch Märchen vorlesen.«

»Ach, Märchen sind so abenteuerlich und so verzaubert und überhaupt so seltsam«, erklärte Pünktchen. »Es ist geradezu ein Genuss!«

»Na ja«, sagte der Vater. »Aber die richtige Lektüre vorm Einschlafen ist es gerade nicht.«

»Direktor, weißt du, ich habe starke Nerven«, behauptete das Kind.

»Schlaf gut, meine Süße«, erklärte die Mutter. Heute trug sie silberne Halbschuhe und ein silbernes Hütchen und ein blaues Kleid mit lauter Spitzen. Pünktchen sagte: »Gut Nass!«

»Wieso?«, fragte die Mutter.

»Es wird regnen«, sagte das Kind. »Ich habe Rheumatismus im Nachthemd.«

»Es regnet ja schon«, meinte die Mutter.

»Da hast du's«, sagte Pünktchen. »Ja, ja, mein Rheumatismus hat immer recht.«

Herr Pogge fragte Fräulein Andacht, ob sie später noch weggehe.

»Wo denken Sie hin, Herr Direktor!«, bekam er zur Antwort.

Als seine Frau im Wagen saß, sagte er: »Gib mir mein Billett. Ich habe die Zigarren vergessen. Fahren Sie voraus, Hollack. Ich komme mit einem Taxi nach.«

Frau Pogge betrachtete ihren Mann neugierig und gab ihm ein Billett. Er winkte dem Schofför. Das Auto fuhr los.

Herr Pogge ging natürlich nicht in die Wohnung zurück. Er gehörte nicht zu den Männern, die ihre Zigarren vergessen. Er trat, dem Haus gegenüber, hinter einen Baum und wartete. Es war ja ziemlich albern, dass er sich von so einem Lausejungen

*Herr Pogge trat, dem Haus gegenüber, hinter einen Baum
und wartete*

Flausen einreden ließ. Und er schämte sich auch dementsprechend. Andrerseits hatte er schon seit Tagen ein so merkwürdiges Gefühl in der Magengrube.

Kurzum, er wartete. Es regnete dünn. Die Straße war einsam. Nur manchmal sauste ein Auto vorüber. Herr Direktor Pogge konnte sich nicht entsinnen, jemals wie heute im Regen gestanden und auf etwas Geheimnisvolles gelauert zu haben.

Er holte eine Zigarre aus dem Etui. Dann fiel ihm ein, dass glimmende Zigarren im Dunkeln äußerst verräterisch wirken, und er behielt sie unangezündet zwischen den Zähnen. Wenn ihn jetzt ein Bekannter träfe! Das konnte ein reizender Skandal werden. »Direktor Pogge steht abends vor seinem eignen Haus und spioniert«, würde es heißen.

Er blickte nach den Fenstern hinüber. Im Kinderzimmer war Licht. Na also!

Da! Das Licht erlosch!

Wozu regte er sich eigentlich auf? Pünktchen war wahrscheinlich eingeschlafen und das Fräulein war in ihr Zimmer gegangen. Trotzdem hatte er Herzklopfen. Er blickte scharf durch die Dämmerung zur Haustür hinüber.

Und da öffnete sie sich! Herr Pogge biss sich auf die Lippen. Er hätte beinahe die Zigarre verschluckt. Durch die halb offene Tür schlüpfte eine Frauengestalt und zog ein Kind hinter sich her. Die beiden bewegten sich in der Dunkelheit wie Gespenster. Die Haustür schlug zu. Die Frau blickte sich besorgt um. Herr Pogge presste sich dicht an den Baum. Dann rannten die zwei stadtwärts.

Vielleicht waren es wildfremde Leute? Auf der anderen Straßenseite lief Herr Direktor Pogge hinter ihnen her. Er hielt die Hand vor den keuchenden Mund. Er trat in Pfützen, streifte Laternenpfähle, merkte kaum, dass der Strumpfhalter riss. Die zwei drüben ahnten nichts davon, dass sie verfolgt wurden. Das Kind stolperte und wurde von der dürren, großen Person weitergezerrt. Plötzlich blieben sie stehen. Kurz bevor die ruhige Straße in den Großstadtverkehr mündet.

Herr Pogge schlich auf den Zehenspitzen noch ein paar Meter weiter. Was geschah dort drüben? Er konnte nichts erkennen. Er hatte Angst, dass sie ihm entschlüpften. Er hielt die Augen aufgesperrt, ohne zu zwinkern, als könnten die beiden, wenn er auch nur sekundenlang die Lider senkte, vom Erdboden verschwunden sein.

Aber nein, die beiden Gestalten, die Frau und das Kind, traten aus dem Schatten der stillen Häuser und schritten den Bogenlampen der anderen Straße entgegen. Die Frau hatte sich ein Kopftuch umgebunden. Sie gingen sehr langsam, und das kleine Mädchen führte die Frau, als sei diese plötzlich krank geworden. Herr Pogge konnte ihnen nun trotz des Menschenstroms, der hier durch die Straße trieb, bequem folgen. Sie steuerten, am Bahnhof Friedrichstraße vorbei, der Weidendammer Brücke zu.

Und auf der Brücke blieben sie, ans Geländer gelehnt, stehen. Es regnete noch immer.

Die elfte Nachdenkerei handelt:

Von der Lüge

Pünktchen belügt ihre Eltern, daran ist nicht zu wackeln. Und so nett sie sonst ist, dass sie lügt, ist abscheulich. Wenn wir sie jetzt hier hätten und sie fragten: »Du, schämst du dich denn gar nicht? Warum belügst du deine Eltern?« Was würde sie antworten? Sie steht zwar gerade auf der Weidendammer Brücke und da dürfen wir sie nicht stören. Aber was würde sie sagen, wenn sie bei uns säße? »Fräulein Andacht ist schuld«, würde sie sagen. Und das wäre eine faule Ausrede.

Denn wenn man nicht lügen will, kann man durch keine Macht der Welt dazu gezwungen werden. Vielleicht hat sie Angst vor dem Kinderfräulein? Vielleicht hat die Andacht dem Kind gedroht?

Dann brauchte Pünktchen nur zu ihrem Vater zu gehen und zu sagen: »Direktor, das Fräulein will mich zwingen, dass ich euch belüge.« Dann würde Fräulein Andacht auf der Stelle entlassen und ihre Drohung wäre umsonst gewesen.

Es bleibt dabei: Pünktchen lügt und das ist sehr unanständig. Wir wollen hoffen, dass sie sich, durch ihre Erlebnisse belehrt, bessert und das Lügen künftig bleiben lässt.

Zwölftes Kapitel

Klepperbein verdient zehn Mark und eine Ohrfeige

Herr Pogge stand an der Komischen Oper mitten auf der Straße und blickte angestrengt zur Weidendammer Brücke hinüber. Er sah, wie das Kind den Vorübergehenden die Hände entgegenstreckte und dazu knickste. Manchmal blieben Passanten stehen und gaben Geld. Dann knickste die Kleine wieder und schien sich zu bedanken. Er entsann sich der gestrigen Szene zu Hause. Pünktchen hatte im Wohnzimmer gestanden, die Wand angejammert und gesagt: »Streichhölzer, kaufen Sie Streichhölzer, meine Herrschaften!« Sie hatte geprobt! Es war kein Zweifel möglich: Dort drüben stand sein Kind und bettelte! Ihn fror.

Er betrachtete die dürre, lange Person daneben. Natürlich war das Fräulein Andacht. Sie trug ein Kopftuch und hatte eine dunkle Brille vor den Augen. Er erkannte sie trotzdem.

Sein Kind stand in einem dünnen, alten Kleid auf der Brücke, ohne Hut, die Locken waren strähnig vom Regen. Er schlug den Mantelkragen hoch. Dabei bemerkte er, dass er noch immer die kalte Zigarre zwischen den Fingern hielt. Sie war völlig zerblättert, und er warf sie wütend, als sei sie an allem schuld, in eine Pfütze. Dann kam ein Schutzmann und wies ihn auf den Fußsteig.

»Herr Wachtmeister«, sagte Herr Pogge, »ist es erlaubt, dass kleine Kinder abends hier herumstehen und betteln?«

Der Schutzmann zuckte die Achseln. »Sie meinen die beiden auf der Brücke? Was wollen Sie machen? Wer soll die blinde Frau denn sonst hierherführen?«

»Sie ist blind?«

»Ja freilich. Und dabei noch ziemlich jung. Fast jeden Abend stehen sie dort drüben. Solche Leute wollen auch leben.« Der Schutzmann wunderte sich, dass ihn der Fremde ziemlich schmerzhaft am Arm packte. Dann sagte er: »Ja, es ist ein Elend.«

»Wie lange stehen denn die zwei normalerweise dort?«

»Zwei Stunden wenigstens, so bis gegen zehn.«

Herr Pogge trat wieder von dem Trottoir herunter. Er machte ein Gesicht, als wollte er hinüberstürzen, dann besann er sich und bedankte sich bei dem Beamten. Der Schutzmann grüßte und ging weiter.

Plötzlich stand Gottfried Klepperbein da, grinste übers ganze Gesicht und zupfte ihn am Mantel. »Na, was habe ich gesagt, Herr Direktor?«, flüsterte er. »Habe ich Ihnen zu viel versprochen?«

Herr Pogge schwieg und starrte über die Straße.

»Auf der anderen Seite der Brücke steht der Freund vom Fräulein Tochter«, sagte Klepperbein gehässig. »Der bettelt auch. Aber richtig. Anton Gast heißt er. Der gehörte schon längst in Fürsorge.«

Herr Pogge schwieg und betrachtete Anton. Mit einem Betteljungen war Pünktchen befreundet? Und warum verkauften seine Tochter und das Kinderfräulein eigentlich Streichhölzer? Was steckte dahinter? Wozu brauchten sie denn heimlich Geld? Er wusste nicht, was er denken sollte.

»So, hiermit wäre das Honorar fällig«, erklärte Gottfried Klepperbein und tippte Herrn Pogge auf den Mantel. Herr Direktor zog die Brieftasche, nahm einen Zehnmarkschein heraus und gab ihn dem Jungen.

»Lassen Sie die Brieftasche gleich draußen«, meinte Klepperbein. »Wenn Sie mir noch zehn Mark dazugeben, sag ich's nicht weiter, was Sie gesehen haben. Sonst rede ich's nämlich rum und dann steht's morgen in der Zeitung. Das wäre Ihnen sicher peinlich!«

Jetzt riss Herrn Pogge die Geduld. Er gab dem Jungen eine Ohrfeige, dass es nur so knallte. Ein paar Passanten blieben stehen und wollten sich einmischen. Aber der Junge rannte so schnell davon, dass sie dachten, es würde wohl seine Richtigkeit gehabt haben. Gottfried Klepperbein lief, so schnell ihn die Füße trugen. Die Geschichte brachte ihm schrecklich viele

Ohrfeigen ein. Das war nun schon die dritte, und er beschloss, sich mit den zehn Mark zufriedenzugeben. Zehn Mark und drei Ohrfeigen, er hatte vorläufig genug.

Herr Pogge konnte es gar nicht mehr mit ansehen, wie sein Kind auf der Brücke im Regen stand. Sollte er hinüberlaufen und Pünktchen nach Hause bringen? Doch da hatte er einen Einfall, der ihm noch besser schien. Er winkte einem Taxi. »Fahren Sie so rasch wie möglich in die Oper Unter den Linden!«, rief er, setzte sich in den Wagen und fuhr fort.

Was hatte er vor?

Anton machte schlechte Geschäfte. Erstens stand er wieder auf der faulen Seite und zweitens regnete es. Wenn es regnete, hatten es die Menschen auf der Straße noch eiliger als sonst. Sie hatten dann gar keine Lust, sich hinzustellen und das Portemonnaie aus der Tasche zu ziehen. Er machte schlechte Geschäfte, aber er war guter Laune. Die Versöhnung mit seiner Mutter freute ihn so.

Plötzlich zuckte er leicht zusammen. Das war doch der Bräutigam von Fräulein Andacht, das war doch Robert der Teufel? Der Mann spazierte in einem Regenmantel und mit einer schief ins Gesicht gezogenen Mütze an dem Jungen vorbei, ohne ihn zu sehen. Anton klappte sein Köfferchen zu und folgte in gemessenem Abstand.

Der Mann ging bis ans Ende der Brücke, dort überquerte er sie und ging langsam auf der anderen Brückenseite wieder zurück. Anton sperrte die Augen auf. Gleich musste der Mann bei Fräulein Andacht angelangt sein. Er schob sich ganz allmählich am Geländer hin. Jetzt gab der Kerl dem Kinderfräulein ein Zeichen und sie erschrak. Pünktchen merkte nichts. Sie knickste und klagte und wollte den Vorübergehenden partout Streichhölzer verkaufen.

Anton presste sich, ein paar Meter von den dreien entfernt, dicht ans Geländer und beobachtete, was jetzt geschah. Der Mann gab Fräulein Andacht einen Rippenstoß, sie schüttelte den Kopf, da packte er ihren Arm, griff in die Tasche, die an dem Arm hing, wühlte darin und zog etwas Glänzendes heraus. Anton blickte ganz scharf hin: Es waren Schlüssel.

Schlüssel? Wozu holte sich der Kerl von Fräulein Andacht Schlüssel?

Er drehte sich um, Anton beugte sich über das Brückengeländer, um nicht aufzufallen, und spuckte in die Spree. Der Mann ging vorüber und jetzt hatte er es auf einmal sehr eilig. Er lief den Schiffbauerdamm hinunter.

Anton überlegte nicht lange. Er rannte ins erste beste Restaurant, ließ sich das Telefonbuch geben und suchte unter P. Dann holte er einen Groschen aus der Tasche und stürzte in die Telefonzelle.

Von den Schweinehunden

Gottfried Klepperbein ist ein Schweinehund. Vertreter dieser menschlichen Tiergattung kommen auch schon unter Kindern vor. Das ist besonders schmerzlich. Anzeichen dafür, dass jemand ein Schweinehund ist, gibt es eine ganze Reihe. Wenn jemand faul und zugleich schadenfroh, heimtückisch und gefräßig, geldgierig und verlogen ist, dann kann man zehn gegen eins wetten, dass es sich um einen Schweinehund handelt. Aus einem solchen Schweinehund einen anständigen Menschen zu machen, ist wohl die schwerste Aufgabe, die sich ausdenken lässt. Wasser in ein Sieb schütten ist eine Kinderei dagegen. Woran mag das liegen? Wenn man jemandem beschreibt, wie schön und wie wohltuend es ist, anständig zu sein, müsste er sich doch darum reißen, anständig zu werden, nein?

Es gibt Fernrohre, die man auseinanderziehen kann. Kennt ihr die? Sie sehen hübsch klein aus; und man kann sie bequem in die Tasche stecken. Dann kann man sie aber auch auseinanderziehen und dann sind sie länger als einen halben Meter. So ähnlich, scheint mir, ist es mit den Schweinehunden. Und vielleicht mit den Menschen überhaupt. Sie sind als Kinder schon genau *dasselbe, was sie später werden. Wie die auseinanderziehbaren Fernrohre. Sie wachsen nur, sie ändern sich nicht. Was nicht im Menschen von Anfang an drinliegt, das kann man nicht aus ihm herausholen, und wenn man sich auf den Kopf stellt ...*

Dreizehntes Kapitel

Die dicke Berta schwingt Keulen

Die dicke Berta saß in der Küche, aß eine Wurststulle und trank Kaffee. Sie war, weil sie Ausgang hatte, mit ihrer Freundin spazieren gewesen; weil aber das Regenwetter nicht aufhörte, war sie früher als gewöhnlich nach Haus gekommen. Nun erstickte sie ihren Ärger über den verregneten Ausgang mit Leberwurst und las den Roman in der Illustrierten. Plötzlich klingelte das Telefon. »Auch das noch!«, murmelte sie und schlurfte an den Apparat. »Hier bei Direktor Pogge«, sagte sie.

»Kann ich den Herrn Direktor sprechen?«, fragte eine Kinderstimme.

»Nein«, sagte Berta, »die Herrschaften sind in der Oper.«

»Das ist ja entsetzlich«, meinte das Kind.

»Worum handelt sich's denn, wenn man fragen darf?«, sagte Berta.

»Wer spricht dort?«

»Das Dienstmädchen bei Pogges.«

»Ach so, die dicke Berta!«, rief das Kind.

»Von wegen dick«, sagte sie gekränkt. »Aber Berta ist richtig. Und mit wem habe ich das Vergnügen?«

»Ich bin ein Freund von Pünktchen«, erklärte die Kinderstimme.

»So«, sagte Berta, »und ich soll mal in ihr Zimmer gehen und fragen, ob sie mit dir mitten in der Nacht Fußball spielen will?«

»Unsinn!«, sagte der Junge. »Sondern der Bräutigam von Fräulein Andacht wird gleich bei Ihnen sein.«

»Das wird ja immer schöner!«, sagte Berta. »Das Kinderfräulein schläft doch längst.«

»Keine Spur«, sagte die Kinderstimme. »Außer Ihnen ist kein Mensch in der Wohnung.«

Die dicke Berta guckte in den Telefonhörer, als wolle sie nachsehen, ob da auch alles stimme. »Was?«, fragte sie dann. »Was? Die Andacht und Pünktchen sind nicht in ihren Betten?«

»Nein«, rief das Kind. »Das erkläre ich Ihnen ein anderes Mal. Sie sind ganz allein zu Haus. Glauben Sie's nur endlich. Und nun kommt der Bräutigam, um einzubrechen. Die Schlüssel hat er schon. Und einen Wohnungsplan auch. Er wird gleich da sein.«

»Das ist ja reizend«, sagte Berta. »Was mach ich denn da?«

»Sie rufen rasch das Überfallkommando an. Und dann suchen Sie eine Kohlenschaufel oder etwas Ähnliches. Und wenn der Bräutigam kommt, hauen Sie ihm eins übern Schädel.«

»Du hast gut reden, mein Sohn«, sagte Berta.

»Hals- und Beinbruch!«, rief das Kind. »Machen Sie Ihre Sache gut! Vergessen Sie nicht, die Polizei anzurufen. Wiedersehen!«

Berta kam vor lauter Kopfschütteln und Zähneklappern kaum vom Fleck. Sie war sehr aufgeregt, rüttelte an Pünktchens Tür und an der von Fräulein Andacht, keine Seele war zu Hause! Niemand rührte sich. Nur Piefke bellte ein bisschen. Er saß in seinem Körbchen vor Pünktchens Tür, rappelte sich hoch und bummelte hinter Berta her. Nun nahm sie sich zusammen und rief das Überfallkommando an.

»So«, sagte ein Beamter. »Na, ich schicke gleich mal rum.«

Und nun suchte Berta etwas zum Zuschlagen. »Wie sich der Junge das mit der Kohlenschaufel denkt«, sagte sie zu Piefke. »Wo wir doch Zentralheizung haben.« Im Kinderzimmer fand sie endlich zwei hölzerne Keulen, mit denen Pünktchen manchmal turnte. Eine dieser Keulen nahm sie, stellte sich neben die Flurtür und löschte das Korridorlicht aus.

»Das Licht in der Küche lassen wir brennen«, sagte sie zu Piefke. »Sonst hau ich daneben.« Piefke legte sich neben sie und wartete geduldig. Er war noch nicht ganz im Bilde und knurrte, während er dalag, seinen Schwanz an.

»Halt die Schnauze!«, flüsterte Berta. Piefke konnte diesen

Ton nicht vertragen. Aber er gehorchte. Berta holte einen Stuhl und setzte sich, denn ihr war sehr schwach zumute. Heute ging alles drunter und drüber. Wo mochten bloß Pünktchen und die Andacht stecken? Verflucht noch mal, hätte sie nur früher etwas gesagt!

Da kam jemand die Treppe herauf. Sie erhob sich, nahm die Keule und hielt die Luft an. Der Jemand stand vor der Tür. Piefke richtete sich hoch und machte einen Buckel, als sei er ein Kater. Ihm standen die Haare zu Berge.

Der Jemand steckte den Schlüssel ins Schloss und drehte um. Dann steckte er den Sicherheitsschlüssel ins Sicherheitsschloss und drehte um. Dann steckte er den Drücker ins Schloss. Die Tür schnappte auf. Der Jemand trat in den von der Küche her schwach erleuchteten Korridor. Berta hob ihre Keule hoch und schlug dem Mann eins über den Kürbis. Der Mann taumelte und fiel um wie ein Sack.

»Den hätten wir«, sagte Berta zu Piefke und machte Licht. Es war ein Mann in einem Regenmantel und mit einer tief ins Gesicht gezogenen Mütze. Piefke beschnupperte den Bräutigam von Fräulein Andacht, wurde plötzlich, wenn auch zu spät, außerordentlich mutig und biss den Mann in die Wade. Aber der Mann lag auf dem Kokosläufer und rührte sich nicht.

»Wenn nur die Polizei bald käme«, sagte Berta, setzte sich auf ihren Stuhl, nahm die Keule in die Hand und passte gut

»Wenn nur die Polizei bald käme«, sagte Berta

auf. »Man sollte ihn fesseln«, meinte sie zu Piefke. »Hol mal eine Wäscheleine aus der Küche.« Piefke hustete ihr was. Beide saßen vor dem Einbrecher und hatten Angst, er könnte wieder munter werden.

Da! Der Mann öffnete die Augen und richtete sich hoch. Langsam wurde sein Blick klarer.

»Tut mir furchtbar leid«, erklärte die dicke Berta ganz gerührt und schlug ihm zum zweiten Mal auf den Kopf. Der Mann seufzte ein bisschen und sank wieder um.

»Wo bleibt nur die Polizei?«, schimpfte Berta.

Aber dann kamen die Gesetzeshüter. Es waren drei Polizisten, und sie mussten über den Anblick, der sich bot, lachen.

»Ich möchte nur wissen, was daran komisch ist«, rief die dicke Berta. »Fesseln Sie den Kerl lieber! Er wird gleich wieder munter werden.« Die Polizisten legten dem Einbrecher Handschellen an und durchsuchten ihn. Sie fanden die Schlüssel, den Wohnungsplan, ein Bündel Dietriche und einen Revolver. Der Oberwachtmeister nahm die Gegenstände an sich, Berta setzte den drei Herren in der Küche Kaffee vor und bat sie, doch ja zu warten, bis Pogges kämen. Das Kind und das Kinderfräulein wären verschwunden. Wer weiß, was heute noch alles passierte!

»Gut, aber nur ein paar Minuten«, sagte der Oberwachtmeister.

Bald waren sie mitten in einer Unterhaltung. Piefke bewachte unterdessen den gefesselten Halunken und probierte heimlich, wie Schuhsohlen schmecken.

Die dreizehnte Nachdenkerei handelt:

Vom Zufall

Wenn es an diesem Abend nicht geregnet hätte, wäre die dicke Berta später nach Hause gekommen. Wenn die dicke Berta später nach Hause gekommen wäre, hätte der Dieb ungestört stehlen können. Es war der reine Zufall, dass sie zu Hause war und dass der Diebstahl misslang. Wenn Galvani nicht zufällig ein paar Froschschenkel, die er aufgehängt hatte, hätte zucken sehen, wäre die tierische Elektrizität nicht entdeckt worden oder erst viel später.

Wenn Napoleon am 18. Oktober 1813 nicht so müde gewesen wäre, hätte er vielleicht die Schlacht bei Leipzig gewonnen.

Viele Ereignisse, die für die Entwicklung der Menschen entscheidend waren, trafen zufällig ein, und ebenso hätte das Gegenteil oder ganz etwas anderes geschehen können.

Der Zufall ist die größte Großmacht der Welt.

Andere Leute sagen statt Zufall: Schicksal. Sie sagen: Es war eine schicksalhafte Fügung, dass Napoleon am 18. Oktober 1813 so müde war und solche Magenschmerzen hatte. Zufall oder Schicksal: Das ist Geschmacksache. Meine Mutter sagt in solchen Fällen: »Der eine isst gern Wurst, der andere grüne Seife.«

Vierzehntes Kapitel

Ein Abendkleid wird schmutzig

Direktor Pogge sprang vor der Lindenoper aus der Auto-droschke, zahlte und rannte in das Theater. Seine Frau saß in einer Loge, hatte die Augen zusammengekniffen und lauschte der Musik. Man gab »Bohème«, das ist eine sehr schöne Oper, und die Musik klingt, als ob es süße Bonbons regnet. Ein sehr berühmter Tenor sang die Partie des Roudolphe und die Logen-plätze waren schrecklich teuer. Von dem, was die zwei Plätze gekostet hatten, hätten Anton und seine Mutter vierzehn Tage leben können.

Herr Pogge trat in die Loge. Seine Frau öffnete erstaunt die Augen und sah ihn erzürnt an. Er stellte sich hinter ihren Ses-sel, packte sie an den Schultern und sagte: »Komm hinaus!« Sie fand den Griff unausstehlich und wandte ihm ihr empörtes Ge-sicht zu. Er stand im Halbdunkel, vom Regen durchnässt, mit hochgestelltem Mantelkragen, und blickte an ihr vorbei.

Sie hatte nie viel Respekt vor ihrem Mann gehabt, denn er war zu gut zu ihr. Aber jetzt bekam sie es mit der Angst. »Was soll denn das heißen?«, fragte sie.

»Komm auf der Stelle hinaus!«, befahl er. Und als sie noch immer zögerte, riss er sie aus dem Sessel und zerrte sie, hinter sich her, aus der Loge. Sie fand es unglaublich, wagte aber nicht mehr zu widersprechen. Sie lief, von ihm gefolgt, die Treppe hinunter. Er verlangte ihre Garderobe, hängte ihr das Cape um, stampfte wütend mit dem Fuß auf, als sie sich vor den Spiegel stellte und ihr silbernes Hütchen hin und her rückte. Dann zog er sie aus dem Haus. Herr Hollack, der Schofför, war natürlich nicht da. Er sollte sie ja erst zum Schluss der Vorstellung mit dem Wagen abholen. Herr Pogge ließ die Hand seiner Frau nicht los. Er stolperte mit ihr durch die Pfützen über die Straße. Am liebsten hätte sie geheult. An der Ecke standen Autodroschken. Er stieß sie in die erste hinein, nannte dem Schofför eine Adresse und kletterte der Frau nach. Dann setzte er sich auf ihr seidenes Cape. Aber sie wagte nicht, es ihm zu sagen.

Das Auto fuhr sehr schnell. Er hockte neben ihr, machte ein abwesendes Gesicht und scharrte nervös mit den Füßen.

»Meine silbernen Schuhe sind hin«, murmelte sie. »Ich habe die Überschuhe in der Garderobe vergessen.«

Er antwortete nichts und stierte geradeaus. Wie kam die Person dazu, nachts, in Lumpen gehüllt und angeblich blind, mit seinem Kind betteln zu gehen? War dieses Fräulein Andacht denn vollständig übergeschnappt? »Dieses Aas!«, sagte er.

»Wer?«, fragte seine Frau.

Er schwieg.

»Was soll denn das alles bedeuten?«, fragte die Frau. »Ich sitze im Theater, du schleppst mich in den Regen hinaus. Die Aufführung war erstklassig. Und die teuren Eintrittskarten!«

»Ruhe!«, entgegnete er und blickte durch die Scheiben. An der Komischen Oper stand das Auto still. Sie stiegen aus. Frau Pogge musterte verzweifelt ihre durchweichten Schuhe. Nein, dass sie die Überschuhe in der Garderobe hatte stehen lassen! Fräulein Andacht musste sie gleich morgen früh holen.

»Da!«, flüsterte ihr Mann und zeigte nach der Weidendammer Brücke hinüber.

Sie sah Autos, Radfahrer, einen Schupo, eine Bettlerin mit einem Kind, einen Zeitungsverkäufer mit einem Schirm, der Fünfer-Autobus kam vorüber. Sie zuckte die Achseln.

Er fasste ihren Arm und führte sie vorsichtig der Brücke entgegen. »Gib auf die Bettlerin und das Kind acht«, flüsterte er befehlend.

Sie beobachtete, wie das kleine Mädchen Knickse machte, Streichhölzer hochhielt und von Passanten Geld bekam. Plötzlich erschrak sie, sah ihren Mann an und sagte: »Pünktchen?«

Sie kamen noch näher. »Pünktchen!«, flüsterte Frau Pogge und verstand nicht, was sie mit ihren eigenen Augen sah.

»Mutter ist total erblindet und noch so jung. Drei Schachteln fünfundzwanzig, Gott segne Sie, liebe Dame«, sagte das Kind gerade.

Es war Pünktchen! Da lief Frau Pogge auf das im Regen frierende und knicksende Kind zu, kniete trotz der verregneten, schmutzigen Straße vor der Kleinen nieder und schloss sie in die Arme. »Mein Kind!«, schrie sie außer sich.

Pünktchen war zu Tode erschrocken. So ein Pech zu haben. Das Kleid der Mutter sah skandalös aus. Die Passanten blieben stehen und dachten, es würde ein Film gedreht.

Direktor Pogge riss der blinden Frau die Brille von den Augen.

»Fräulein Andacht!«, rief Frau Pogge entsetzt.

Die Andacht war blass wie der Tod, hielt schützend die Hände vors Gesicht und wusste sich keinen Rat. Ein Schutzmann tauchte auf.

»Herr Wachtmeister!«, rief Herr Pogge. »Verhaften Sie diese Person hier! Es ist unser Kinderfräulein, sie geht, wenn wir nicht zu Hause sind, mit unserm Kind betteln!«

Der Schutzmann zog das Notizbuch. Der Zeitungsverkäufer mit dem Regenschirm lachte.

»Nicht einsperren!«, rief Fräulein Andacht. »Nicht einsperren!« Mit einem Sprung durchbrach sie den Kreis der Menschen und rannte gehetzt davon.

»Mein Kind!«, schrie Frau Pogge außer sich

Herr Pogge wollte ihr nach. Aber die Leute hielten ihn fest.

»Lassen Sie das Mädchen laufen!«, sagte ein alter Mann.

Frau Pogge war aufgestanden und putzte mit einem kleinen Spitzentuch ihr seidenes Kleid ab, es war furchtbar dreckig.

Da tauchte Anton von der anderen Straßenseite her auf und legte Pünktchen die Hand auf die Schulter. »Was ist denn hier los?«, fragte er.

»Meine Eltern haben mich erwischt«, sagte Pünktchen leise, »und die Andacht ist eben durchgebrannt. Das kann gut werden.«

»Wollen sie dir was tun?«, fragte er besorgt.

»Das ist noch nicht raus«, meinte Pünktchen achselzuckend.

»Soll ich dir helfen?«, fragte er.

»Ach ja«, sagte sie. »Bleibe hier, das beruhigt mich.«

Herr Pogge sprach mit dem Schutzmann. Seine Frau putzte noch immer an dem teuren Kleid herum. Die Leute, die dabeigestanden hatten, gingen wieder ihrer Wege.

Da blickte Frau Pogge auf, sah, dass sich ihre Tochter mit einem fremden Jungen unterhielt, und riss das Kind an ihre Seite. »Gleich kommst du zu mir!«, rief sie. »Was stehst du mit dem Betteljungen zusammen?«

»Nun schlägt's dreizehn«, sagte Anton. »So fein wie Sie bin ich schon lange. Dass Sie es nur wissen. Und wenn Sie nicht zufällig die Mutter meiner Freundin wären, würde ich mit Ihnen überhaupt nicht sprechen, verstanden?«

Herr Direktor Pogge wurde aufmerksam und trat hinzu.

»Das ist mein bester Freund«, sagte Pünktchen und fasste ihn an der Hand. »Er heißt Anton und ist ein Prachtkerl.«

»So?«, fragte der Vater belustigt.

»Prachtkerl ist übertrieben«, sagte Anton bescheiden. »Aber beschimpfen lass ich mich nicht.«

»Meine Frau hat es nicht so schlimm gemeint«, erklärte Herr Pogge.

»Das wollen wir auch stark hoffen«, sagte Pünktchen stolz und lächelte ihrem Freund zu. »So, und nun gehen wir nach Hause. Was haltet ihr davon? Anton, kommst du mit?«

Anton lehnte ab. Er musste ja zu seiner Mutter.

»Dann kommst du morgen nach der Schule mal vorbei.«

»Gut«, sagte Anton und schüttelte ihr die Hand. »Wenn es deinen Eltern recht ist.«

»Einverstanden«, meinte Pünktchens Vater und nickte.

Anton machte eine kleine Verbeugung und rannte fort.

»Der ist goldrichtig«, erklärte Pünktchen und blickte ihm nach. Dann nahmen sie ein Taxi und fuhren heim. Das Kind saß zwischen den Eltern und spielte mit Groschen und Streichholzschachteln.

»Wie ist das nur alles gekommen?«, fragte der Vater streng.

»Fräulein Andacht hat einen Bräutigam«, berichtete Pünktchen. »Und weil der immer Geld brauchte, ging sie mit mir immer hierher. Und wir haben ja auch ganz hübsch verdient. Das kann man ohne Übertreibung sagen.«

»Entsetzlich, meine Süße«, rief die Mutter.

»Wieso entsetzlich?«, fragte Pünktchen. »Es war kolossal spannend.«

Frau Pogge sah ihren Mann an, schüttelte den Kopf und sagte: »Nein, diese Dienstboten!«

Die vierzehnte Nachdenkerei handelt:

Vom Respekt

Im vorhergegangenen Kapitel steht ein Satz, der es verdient, dass wir ihn noch einmal anschauen. Es hieß dort von Frau Pogge: »Sie hatte nie viel Respekt vor ihrem Mann gehabt, denn er war zu gut zu ihr.«

Kann man denn überhaupt zu gut zu jemandem sein? Ich glaube schon. In der Gegend, wo ich geboren bin, gibt es ein Wort, das heißt: dummgut. Man kann vor lauter Freundlichkeit und Güte dumm sein, und das ist falsch. Die Kinder spüren es am allerersten, wenn jemand zu gut zu ihnen ist. Wenn sie etwas angestellt haben, wofür sie sogar ihrer Meinung nach Strafe verdienten, und die Strafe bleibt aus, dann wundern sie sich. Und wenn sich der Fall wiederholt, verlieren sie Schritt für Schritt den Respekt vor dem Betreffenden.

Respekt ist etwas sehr Wichtiges. Manche Kinder tun von selber fast immer das Richtige, aber die meisten müssen es erst lernen. Und sie bedürfen dazu eines Barometers. Sie müssen fühlen: Oh weh, was ich da eben getan habe, war falsch, dafür verdiene ich Strafe.

Wenn dann aber die Strafe oder der Verweis ausbleibt, wenn die Kinder noch dafür, dass sie frech waren, Schokolade kriegen, sagen sie sich vielleicht: Ich will mal immer hübsch frech sein, dann kriegt man Schokolade.

Respekt ist nötig, und Respektspersonen sind nötig, solange die Kinder, und wir Menschen überhaupt, unvollkommen sind.

Fünfzehntes Kapitel
Ein Polizist tanzt Tango

Als sie zu Hause die Treppe hinaufgingen, hörten sie in der ersten Etage Grammofonmusik. »Nanu«, sagte Herr Pogge und schloss auf. Im Anschluss hieran erstarrte er zur Salzsäule, seine Frau tat desgleichen. Nur Pünktchen war nicht weiter überrascht, sondern unterhielt sich mit Piefke, der ihr entgegenlief.

Im Korridor tanzte die dicke Berta mit einem Polizisten Tango. Ein anderer Polizist stand am Reisegrammofon und drehte die Kurbel.

»Aber Berta!«, rief Frau Pogge entrüstet.

Pünktchen ging zu dem Polizisten, der am Grammofon stand, machte einen Knicks vor ihm und sagte: »Damenwahl, Herr Wachtmeister.«

Der Polizist legte den Arm um sie und tanzte mit ihr eine Ehrenrunde.

»Nun ist's aber genug!«, rief der Direktor. »Berta, was soll das heißen? Haben Sie sich mit einer ganzen Polizeikompanie verlobt?«

»Leider nein«, sagte die dicke Berta. Doch da kam ein dritter

Polizist aus der Küche und Frau Pogge murmelte: »Ich verliere den Verstand.«

Pünktchen baute sich vor ihr auf und bat: »Ach ja, Mutti, mach das mal!«

»Ist nicht mehr nötig!«, rief Berta. Das war ja eigentlich ziemlich unverschämt, aber Frau Pogge kapierte die Bemerkung nicht, und ihr Mann hatte mit Kopfschütteln alle Hände voll zu tun.

Endlich führte Berta die Herrschaften in die Küche. Dort saß ein Mann im Regenmantel und trug Handschellen.

»Der Herr wollte bei uns einbrechen und da hab ich ihm die Birne weich geschlagen und das Überfallkommando verständigt. Und weil Sie nicht da waren, haben wir mal rasch eine kesse Sohle aufs Parkett gelegt.«

Der Mann, der die Handschellen trug, öffnete gerade die Augen. Sein Blick war völlig verglast.

»Das ist ja Robert der Teufel!«, rief Pünktchen.

Die Eltern sahen sie überrascht an. »Wer?«

»Der Bräutigam von Fräulein Andacht! Ach so, deswegen hat sie mich gefragt, wann Berta Ausgang hätte!«

Der Vater sagte: »Und deswegen habt ihr betteln gehen müssen.«

»Und deswegen hat sie einen Wohnungsplan gezeichnet«, rief Pünktchen.

»Den Plan haben wir bei ihm gefunden«, sagte der eine Wachtmeister und gab dem erstaunten Hausherrn ein Stück Papier.

»Wie haben Sie denn den Kerl überwältigt?«, fragte Frau Pogge.

Die dicke Berta holte die Turnkeule und stellte sich neben die Tür. »Hier habe ich mich hingestellt, und als er die Tür aufschloss und den Kopf hereinsteckte, habe ich ihm eins übergezogen. Dann wollte er wieder munter werden und da habe ich ihn noch mal aufs Köpfchen geschlagen. Na, und dann erschienen die drei Kavaliere hier.«

Sie zeigte auf die drei Polizisten und die fühlten sich sehr geschmeichelt.

Pünktchens Vater schüttelte schon wieder den Kopf. »Das verstehe ich ganz und gar nicht«, erklärte er. »Woher wussten Sie denn, dass ein Einbrecher in die Wohnung wollte? Wenn ich das nun gewesen wäre?«

»Dann hättest du jetzt 'ne weiche Birne!«, rief Pünktchen vergnügt.

Berta erklärte, wenn auch etwas unverständlich: »Als ich nach Hause kam, es hat doch so schweinemäßig geregnet, was soll ich im Regen rumlaufen, denk ich mir, wie ich also in der Küche sitze, klingelt das Telefon. Es wird gleich ein Einbrecher kommen, sagt jemand am andern Ende der Strippe, ziehen Sie ihm eins mit der Kohlenschaufel über und rufen Sie das Überfallkommando an. Nun haben wir doch aber keine Kohlenschaufel. So war das.«

»Aber wer hat denn gewusst, dass der Kerl bei uns einbrechen wollte. Wer hat Sie denn angerufen?«, fragte Frau Pogge.

»Das ist doch klar wie Kloßbrühe«, sagte Pünktchen. »Das war natürlich mein Freund Anton.«

»Stimmt«, sagte Berta. »Vorgestellt hat er sich nicht, doch er erzählte, dass er Pünktchens Freund wäre.«

»Da habt ihr's«, erklärte Pünktchen, kreuzte die Arme auf dem Rücken und stolzierte im Korridor auf und ab. »Ich habe euch gleich gesagt, der Junge ist goldrichtig.«

»Das scheint mir allerdings auch so«, sagte Papa Pogge und brannte sich eine Zigarre an. »Woher hat er das aber gewusst?«

»Vielleicht hat er gesehen, wie Fräulein Andacht dem Mausehaken die Schlüssel gegeben hat«, meinte Pünktchen.

Robert der Teufel rückte wütend auf dem Stuhl hin und her. »So war das also«, meinte er. »Na warte nur, du Lausejunge, wenn ich dir mal begegne.«

»Verschieben Sie das ruhig auf später«, sagte der Wachtmeister, »erst sperren wir Sie ein.«

Pünktchen trat auf den Mann zu. »Lassen Sie sich davon dringend abraten«, sagte sie. »Anton zerreißt Sie in der Luft.

Dem Gottfried Klepperbein hat er ein paar Ohrfeigen gegeben, dass der sich glatt hinsetzte.«

»Hat er das?«, fragte der Vater erfreut. »Wirklich ein Prachtkerl, dein Anton.«

Piefke saß vor dem Dieb und zog ihm die Schnürsenkel auf. Frau Pogge bekam Migräne. Sie verzog leidend das Gesicht. »Es waren der Aufregungen zu viele«, klagte sie. »Meine Herren, wollen Sie den Einbrecher nicht fortführen? Der Mann geht mir schrecklich auf die Nerven.«

»Sie mir auch«, murmelte Robert der Teufel. Dann zogen die Polizisten mit ihm ab.

»Liebe Berta«, sagte Frau Pogge, »bringen Sie das Kind ins Bett. Ich lege mich schlafen. Kommst du auch bald, Fritz? Gute Nacht, meine Süße! Und mach nie wieder solche Streiche.« Sie gab Pünktchen einen reizenden Kuss und ging in ihr Zimmer.

Herr Pogge war plötzlich sehr niedergeschlagen. »Ich bringe das Kind selber zu Bett, Berta«, meinte er. »Gehen Sie schlafen. Sie haben sich tapfer gehalten.« Dann gab er ihr erstens die Hand und zweitens einen Zwanzigmarkschein.

»Ich danke auch schön«, sagte die dicke Berta. »Wissen Sie was, wenn man vorher verständigt wird, habe ich gar nichts gegen Einbrecher.« Dann ging auch sie in ihr Zimmer.

Herr Pogge half Pünktchen beim Waschen und beim Aus-

Der Vater setzte sich an den Bettrand

kleiden, dann legte sie sich lang, und Piefke kam mit ins Bett. Der Vater setzte sich auf den Bettrand. »Luise«, sagte er ernst. »Nun hör mal gut zu, mein Kind.« Sie nahm seine große Hand in ihre kleinen Hände und blickte ihm in die Augen.

»Weißt du, dass ich dich sehr lieb habe?«, fragte er leise. »Aber ich kann mich nicht viel um dich kümmern. Ich muss Geld verdienen. Warum machst du solche Geschichten? Warum belügst du uns? Ich habe keine ruhige Minute mehr, wenn ich weiß, dass ich dir nicht vertrauen kann.«

Pünktchen streichelte seine Hand. »Ich weiß ja, dass du keine Zeit hast, weil du Geld verdienen musst«, meinte sie. »Aber die Mutter muss kein Geld verdienen und trotzdem hat sie keine Zeit für mich. Ihr habt beide keine Zeit für mich. Nun werde ich wieder ein anderes Kinderfräulein kriegen, und was dann wird, kann man nicht vorher wissen.«

»Ja, ja«, sagte er. »Du hast ganz recht. Willst du mir aber versprechen, künftig immer die Wahrheit zu sagen? Es würde mich sehr beruhigen.«

Das Kind lächelte ihm zu. »Gut, wenn es dich sehr beruhigt.«

Er gab ihr einen Gutenachtkuss. Als er sich an der Tür umdrehte, um das Licht auszuschalten, sagte sie: »Direktor, es war aber trotzdem sehr interessant.«

Herr Pogge hatte eine schlaflose Nacht trotz der vielen Tabletten, die er schluckte.

Die fünfzehnte Nachdenkerei handelt:

Von der Dankbarkeit

Die dicke Berta ist doch mutig gewesen, nein? Einbrecher auf den Kopf zu hauen, das steht nicht in ihrem Dienstvertrag, und sie tat es doch. Das verdient Dankbarkeit. Was tut daraufhin Frau Pogge? Sie geht schlafen!

Aber Herr Pogge, der gibt Berta erstens die Hand und zweitens einen Zwanzigmarkschein. Mancher würde vielleicht nur die Hand geben, obwohl er bei Kasse ist. Ein anderer würde vielleicht nur zwanzig Mark geben, obwohl er eine Hand hat. Herr Pogge hat beides und tut beides. Er drückt dem dicken Fräulein erst die Hand und dann gibt er ihr Geld. Ich finde auch die Reihenfolge in Ordnung! Er hätte ihr ja erst den Schein hinhalten und dann die Hand schütteln und sagen können: »Im Übrigen danke ich Ihnen auch.«

Nein, er macht alles ganz richtig. Er benimmt sich tadellos.

Je länger ich Herrn Pogge kenne, umso besser gefällt er mir. Er wird mir von Kapitel zu Kapitel sympathischer. Na, und nun gar im letzten Kapitel, das gleich folgt!

Sechzehntes Kapitel
Ende gut, alles gut

Als Pünktchen am nächsten Tag aus der Schule kam, stand, ganz gegen die Gewohnheit, wieder das Auto vor der Tür. Und diesmal saß, außer Herrn Hollack, sogar der Vater drin. Er winkte ihr zu. Da rissen die andern kleinen Mädchen vor Wut aus. Wieder war es nichts mit der Autofahrt!

Pünktchen begrüßte den Schofför und stieg ein. »Ist irgendwas passiert?«, fragte sie ängstlich.

»Nein«, sagte der Vater. »Ich habe gerade etwas Zeit.«

»Was hast du?«, fragte sie und sah ihn an, als trüge er plötzlich einen Vollbart. »Zeit?«

Herr Pogge wurde vor seiner kleinen Tochter richtig verlegen. »Na ja«, meinte er. »Frag nicht so dumm. Man kann doch mal Zeit haben.«

»Das ist fein«, rief sie. »Wollen wir nach Charlottenhof fahren und Windbeutel essen?«

»Ich dachte, wir holen lieber deinen Anton von der Schule ab.«

Da fiel sie ihrem Vater um den Hals und gab ihm einen Kuss, der klang wie ein Kanonenschuss. Dann fuhren sie rasch vor

Antons Schule und kamen gerade noch zurecht. Anton schlug fast der Länge nach hin, als er den schönen Wagen mit Pünktchen und ihrem Vater warten sah. Pünktchen winkte ihn heran, ihr Vater drückte ihm die Hand, er sei ein Mordskerl. Das mit Robert dem Teufel hätte er glänzend gedeichselt.

»Sehr geehrter Herr Pogge«, sagte Anton, »das lag doch auf der Hand.« Und dann durfte er sich vorn neben Herrn Hollack setzen und der ließ ihn manchmal auf den Gashebel treten und die Winker bedienen. Es war einfach wundervoll.

Pünktchen zog ihren Vater am Ohr und flüsterte: »Direktor, der Junge kann sogar kochen.«

»Was kann er eigentlich nicht?«, fragte Herr Pogge.

»Anton? Anton kann alles«, sagte sie stolz. Und weil Anton alles konnte, fuhren sie nun doch noch nach Charlottenhof und aßen Windbeutel. Sogar Herr Pogge aß einen Windbeutel, obwohl ihm der Arzt gerade Windbeutel streng verboten hatte. Dann spielten sie zu dritt Versteck, damit Pünktchens Vater magerer wurde. Denn er bekam einen Bauch. Anton wollte nachher nach Hause, aber der Direktor meinte, er würde Antons Mutter schon benachrichtigen.

»Hat Herr Bremser wieder mal geschimpft?«, fragte Pünktchen.

»Nein«, sagte Anton. »Er ist neuerdings sehr nett zu mir und ich soll ihn mal zum Kaffee besuchen.«

»Na siehst du«, meinte Pünktchen ganz ruhig. Unterm Tisch kniff sie sich aber vor lauter Zufriedenheit in die Waden.

Zum Mittagessen kamen sie denn auch richtig zu spät. Frau Pogge war tief gekränkt. Aber die anderen drei waren so vergnügt, dass sie es gar nicht bemerkten. Da kränkte sich Frau Pogge noch mehr, und sie konnte überhaupt nichts essen, sonst wäre sie zerplatzt.

»Wo mag jetzt Fräulein Andacht stecken?«, fragte Anton, denn er hatte ein gutes Herz. Frau Pogge hatte für solche Fragen kein Verständnis. Sie murmelte nur: »Wo kriegen wir jetzt ein zuverlässiges Kinderfräulein her?«

Herr Pogge hatte eine kleine Erleuchtung. Er nahm Pünktchen beiseite, flüsterte mit ihr und sagte dann: »Ich komme gleich wieder.« Dann war er verschwunden.

Die anderen aßen, ohne viel zu sprechen, zu Ende. Hinterher liefen die beiden Kinder in Pünktchens Zimmer, wo Piefke sie bereits sehnlichst erwartete.

Anton musste sich auf einen Stuhl setzen. Die anderen spielten ihm das Märchen von Rotkäppchen vor. Piefke konnte seine Rolle schon sehr gut. Aber auch diesmal wollte er Pünktchen nicht fressen. »Vielleicht lernt er es, wenn er ein paar Jahre älter geworden ist«, sagte das Mädchen. Anton meinte, die Aufführung sei trotzdem ausgezeichnet gewesen. Er klatschte wie im Theater. Pünktchen verbeugte sich zehnmal und warf Kusshände, und Piefke bellte, bis er ein Stück Zucker bekam.

»Und was spielen wir jetzt?«, fragte Pünktchen. »Ich könnte ja heute mal ›Der bucklige Schneider und sein Sohn‹ sein. Oder spielen wir Mutter und Kind und Piefke ist das Baby? Nein, wir spielen Einbrecher! Du bist Robert der Teufel, ich bin die dicke Berta, und wenn du durch die Tür kommst, haue ich dir mit der Keule über den Kopf.«

»Und wer spielt die drei Polizisten?«, fragte er.

»Ich bin Berta und die drei Polizisten«, erklärte sie.

»Du kannst doch nicht mit dir selber tanzen«, wandte Anton ein. Das war also wieder nichts. »Ich weiß etwas«, sagte er: »Wir spielen die Entdeckung Amerikas. Ich bin Kolumbus.«

»Gut«, rief Pünktchen. »Ich bin Amerika und Piefke ist das Ei.«

»Was ist er?«

»Das Ei«, meinte sie. »Das Ei des Kolumbus.« Das kannte er nicht, es war in der Schule noch nicht dran gewesen.

»Jetzt hab ich's!«, rief er. »Wir spielen: Im Faltboot über den Ozean.« Sie räumten den Tisch ab und stürzten ihn um, dass die Beine nach oben ragten. Das war das Boot. Und während Anton aus der Tischdecke ein Segel machte, ging Pünktchen in die Speisekammer und holte Schiffsvorräte: einen Topf mit

Marmelade, die Butterdose, mehrere Messer und Gabeln, zwei Pfund Kartoffeln, eine Schüssel Birnenkompott und eine halbe Schlackwurst. »Schlackwurst ist gut«, sagte sie. »Schlackwurst hält sich monatelang.« Sie packten die Vorräte ins Boot und dann war gerade noch Platz für die Kinder und den Hund. Neben dem Tisch stand eine Waschschüssel mit Wasser. Darin planschte Pünktchen, während sie über den Ozean fuhren, und sagte: »Das Meer ist furchtbar kalt.« Anton stieg mitten auf dem Ozean aus, holte Salz und streute es in die Waschschüssel. »Meerwasser muss salzig sein«, behauptete er.

Dann kam eine Windstille. Die dauerte drei Wochen. Anton ruderte zwar mit Spazierstöcken, aber man kam kaum vom Fleck. Pünktchen und er und Piefke aßen die Schlackwurst auf und Pünktchen jammerte: »Kapitän, die Vorräte gehen zu Ende.«

»Wir müssen aushalten!«, rief Anton. »Dort drüben liegt Rio de Janeiro«, und er zeigte aufs Bett.

»Gott sei Dank«, sagte Pünktchen. »Sonst wäre ich glatt verhungert.« Dabei war sie vom Mittagessen und von der Schlackwurst so satt, dass ihr ganz schlecht war.

»Und jetzt kommt ein scheußlicher Sturm«, sagte Anton, stieg aus und wackelte an dem Tisch. »Hilfe!«, schrie Pünktchen verzweifelt. »Wir gehen unter!« Dann warfen sie die zwei Pfund Kartoffeln über Bord, um das Boot zu erleichtern. Aber

Anton und der Sturm ließen nicht nach. Pünktchen hielt sich den Bauch und erklärte: »Ich werde seekrank.« Und Piefke fiel, weil haushohe Wellen kamen, in die Schüssel mit dem Birnenkompott, dass es nur so spritzte. Anton war der Wind und heulte.

Endlich ließ das Unwetter nach, der Junge schob den Tisch ans Bett, und in Rio de Janeiro stiegen sie an Land. Die dortige Bevölkerung begrüßte die Ozeanfahrer aufs Herzlichste. Sie wurden zu dritt fotografiert. Piefke hatte sich zusammengerollt und leckte begeistert sein klebriges Fell. Es schmeckte nach Birnentunke.

»Vielen Dank für den freundlichen Empfang«, sagte Pünktchen. »Es war eine Zeit voller Entbehrungen, aber wir werden gern daran zurückdenken. Mein Kleid ist leider hin und heimwärts fahre ich mit der Eisenbahn. Sicher ist sicher.«

»Ich bin Antonio Gastiglione, der Oberbürgermeister von Rio de Janeiro«, brummte der Junge. »Ich heiße Sie und mich bei uns herzlich willkommen und ernenne Sie und Ihren Hund zum Weltmeister im Ozeanfahren.«

»Vielen Dank, mein Herr«, sagte Pünktchen. »Wir werden Ihren Pokal stets hochhalten.« Damit nahm sie die Butterbüchse aus dem Boot und meinte mit Kennermiene: »Echt Silber, mindestens zehntausend Karat.«

Dann ging die Tür auf und Antons Mutter kam herein. Da

war die Freude groß. »Herr Pogge hat mich mit dem Auto abgeholt«, erzählte sie. »Aber wie sieht es denn hier aus?«

»Wir haben soeben den Ozean überquert«, teilte Pünktchen mit, und dann räumten sie das Zimmer auf. Piefke wollte sich aus freien Stücken noch einmal in das Birnenkompott setzen, aber Antons Mutter schlug es ihm rundweg ab.

Währenddem hatte Herr Pogge ein ernsthaftes Gespräch mit seiner Frau. »Ich will, dass Pünktchen ein anständiger Kerl wird«, sagte er. »Ein Fräulein Andacht kommt mir nicht zum zweiten Mal ins Haus. Mein Kind soll keine hochnäsige Gans werden. Sie soll den Ernst des Lebens kennenlernen. Pünktchen hat sich ihre Freunde gewählt, ich billige diese Wahl. Wenn du dich mehr um das Kind kümmertest, wäre das etwas anderes. Aber so bleibt es bei meinem Entschluss. Kein Wort der Widerrede! Ich habe lange genug zu allem Ja und Amen gesagt. Das wird nun anders.«

Frau Pogge hatte Tränen in den Augen. »Also schön, Fritz! Wenn du's durchaus willst«, meinte sie und fuhr sich mit dem Taschentuch übers Gesicht. »Mir ist es recht, aber du darfst nicht mehr böse sein.« Er gab ihr einen Kuss. Dann holte er Antons Mutter ins Zimmer und fragte, wie sie über seinen Plan dächte. Frau Gast war gerührt und sagte, wenn es seiner Frau recht wäre, sie schlüge mit Freuden ein. Sie war sehr glücklich.

»Nun passt mal auf, Kinder!«, rief er. »Achtung! Achtung! Antons Mutter zieht noch heute in Fräulein Andachts Zimmer. Für den Jungen richten wir die Stube mit der grünen Tapete her und von nun an bleiben wir alle zusammen. Einverstanden?«

Anton brachte kein Wort heraus. Er schüttelte Herrn Pogge und dessen Frau die Hand. Dann drückte er seine Mutter an sich und flüsterte: »Nun haben wir keine so großen Sorgen mehr, wie?«

»Nein, mein guter Junge«, sagte sie.

Dann setzte sich Anton wieder neben Pünktchen und sie zog ihn vor lauter Freude an den Ohren. Piefke hoppelte gemütlich durchs Zimmer. Es sah aus, als ob er in sich hineinlächelte.

»Na, meine Tochter, ist es so recht?«, fragte der Vater und strich Pünktchen übers Haar. »Und in den großen Ferien fahren wir mit Frau Gast und mit Anton an die Ostsee.«

Da lief Pünktchen aus dem Zimmer, und als sie zurückkam, hielt sie eine Zigarrenkiste in der Hand und in der anderen Streichhölzer. »Zur Belohnung«, sagte sie. Der Vater steckte sich eine Zigarre an, ächzte gut gelaunt, als er das erste Rauchwölkchen ausstieß, und sagte: »Die hab ich mir verdient.«

Vom glücklichen Ende

Somit wäre die Geschichte zu Ende. Und dieses Ende ist gerecht und glücklich. Jeder ist dort angekommen, wo er hingehört, und wir können, der Zukunft vertrauend, sämtliche Personen getrost ihrem weiteren Schicksal überlassen. Fräulein Andachts Bräutigam sitzt im Gefängnis, Anton und seine Mutter sitzen im Glück, Pünktchen sitzt neben ihrem Anton, und Fräulein Andacht sitzt in der Tinte. Jeder hat die seiner Sitzfläche angemessene Sitzgelegenheit gefunden. Das Schicksal hat nach Maß gearbeitet.

Nun könntet ihr womöglich daraus schließen, dass es auch im Leben immer so gerecht zuginge und ausginge wie in unserm Buch hier! Das wäre allerdings ein verhängnisvoller Irrtum! Es sollte so sein, und alle verständigen Menschen geben sich Mühe, dass es so wird. Aber es ist nicht so. Es ist noch nicht so.

Wir hatten einmal einen Mitschüler, der schrieb regelmäßig von seinem Nachbarn ab. Denkt ihr, er wurde bestraft? Nein, der Nachbar wurde bestraft, von dem er abschrieb. Seid nicht allzu verwundert, wenn euch das Leben einmal bestraft, obwohl andere die Schuld tragen. Seht zu, wenn ihr groß seid, dass es

dann besser wird! Uns ist es nicht ganz gelungen. Werdet an-
ständiger, ehrlicher, gerechter und vernünftiger, als die meisten
von uns waren!

Die Erde soll früher einmal ein Paradies gewesen sein. Mög-
lich ist alles.

Die Erde könnte wieder ein Paradies werden. Alles ist mög-
lich.

Das kleine Nachwort

Obwohl nun die Geschichte von Pünktchen, Anton und Piefke zu Ende ist, hab ich noch eine Kleinigkeit auf dem Herzen.

Nämlich: Es könnten Kinder, die mein andres Buch, das von »Emil und den Detektiven«, kennen, sagen: »Lieber Mann. Ihr Anton ist ja genau so ein Junge wie Ihr Emil. Warum haben Sie denn in dem neuen Buch nicht lieber von einem Jungen geschrieben, der ganz anders ist?«

Und da möchte ich, weil die Frage nicht unberechtigt ist, doch noch darauf antworten, ehe ich den Schlusspunkt setze. Ich habe von Anton erzählt, obwohl er dem Emil Tischbein so ähnlich ist, weil ich glaube: Von dieser Sorte Jungen kann man gar nicht genug erzählen und Emile und Antone können wir gar nicht genug kriegen!

Vielleicht entschließt ihr euch, so wie sie zu werden? Vielleicht werdet ihr, wenn ihr sie lieb gewonnen habt, wie diese Vorbilder, so fleißig, so anständig, so tapfer und so ehrlich?

Das wäre der schönste Lohn für mich. Denn aus dem Emil, dem Anton und allen, die den beiden gleichen, werden später einmal sehr tüchtige Männer werden. Solche, wie wir sie brauchen können.

»So locker und liebevoll, so witzig und zugleich so vernünftig wie Erich Kästner hat in diesem Jahrhundert niemand den pädagogischen Zeigefinger gehoben.« (Ulla Hahn)

Erich Kästners Texte bestechen bis heute durch ihre Aktualität. Der Autor, der 1899 in Dresden geboren wurde und 1974 in München starb, schrieb bereits während seines Studiums als Redakteur für Zeitungen und Zeitschriften. 1928 erschien sein Gedichtband »Herz auf Taille«, der ihn auf einen Schlag weltberühmt machte. Ein Jahr später folgte sein erstes Kinderbuch »Emil und die Detektive«, das heute längst zu einem Klassiker der Kinderliteratur geworden ist. Die Nationalsozialisten verbrannten seine Bücher und erteilten dem Autor Publikationsverbot. Erst nach dem Ende des Zweiten Weltkrieges begann er, allmählich wieder Bücher zu schreiben, darunter mehr und mehr Literatur für Kinder. Noch zu Lebzeiten wurde er mit verschiedenen Preisen ausgezeichnet, die seine literarische Bedeutung unterstreichen.

Der Klassiker unter den Kinderkrimis

Erich Kästner
EMIL UND DIE DETEKTIVE
Einband und Illustrationen
von Walter Trier.
176 Seiten. Ab 10 Jahren.
ISBN 978-3-7915-3012-3

»Parole Emil« heißt das Motto der aufregenden Verfolgungsjagd, die Emil zusammen mit Pony Hütchen, Gustav mit der Hupe und vielen anderen Kindern unternimmt. Immer hinter dem Dieb her, der im Zug auf dem Weg nach Berlin Emils ganzes Geld gestohlen hat.

Erich Kästners erstes Kinderbuch ist auch sein bekanntestes.

»Sprachwitz, liebevolle Milieuschilderungen und effektvolle Wendungen machen das 80 Jahre alte Buch auch heute noch zu einem erstrangigen Vorlese-Vergnügen.« *[SPIEGEL online]*

DRESSLER

Auch als Hörbuch und Kinofilm bei Oetinger media. Weitere Informationen unter:
www.oetinger-media.de und www.dresslerverlag.de

ERICH KÄSTNER FÜR KINDER

* *Auch als Kinofilm auf DVD*
 bei Oetinger kino.

DRESSLER

Auch als Hörbücher bei Oetinger audio. Weitere Informationen:
www.oetinger-media.de und www.dresslerverlag.de